À Marielle, excellente cuisinière,
qui a pensé et réalisé beaucoup de recettes salées de ce livre.

Les gratins de Christophe

CHRISTOPHE FELDER

Photographies de Jean-Louis Motte
Stylisme de Lisbeth Kwik

minerva

Les *gratins* sucrés

Gratin abricots, biscuits cuillère, au Cointreau 10

Gratin feuilleté passion et framboises 11

Gratin lambic kriek et cerises noires 14

Gratin frangipane et raisins à la cannelle 16

Gratin crème de marron, poires conférence 17

Gratin pommes, abricots au thym et crémeux chocolat 20

Gratin frangipane, abricots et cacahuètes 22

Gratin granny smith à l'amande, granité de cidre et raisins secs . . . 23

Gratin thé earl grey, pruneaux et fruits secs 27

Gratin vin de Banyuls, noix et abricots poêlés 28

Gratin papayes, ananas et citron au poivre 30

Gratin rhubarbe, citron et vanille 31

Gratin semoule aux mirabelles 34

Gratin bergamote et chocolat 35

Gratin minute au champagne rosé 36

Gratin mandarines et miel au champagne 38

Gratin ananas à la piña colada 39

Gratin soufflé à l'orange, chocolat noir, Cointreau et litchis 42

Gratin bananes, mangues et griottes 44

Gratin griottes, poires et pistaches 45

Sommaire

Gratin poires et pêches à la crème de cassis 49

Gratin pêches blanches, groseilles, sorbet au lait d'amandes 50

Gratin frangipane à la pêche jaune, coulis de fraise et romarin 52

Gratin fromage blanc aux fruits rouges et noirs 53

Gratin en rouge et noir 57

Gratin fleur d'oranger, noisettes, pêches blanches et abricots 58

Gratin poires, pamplemousses, pistaches et coco 60

Gratin soufflé de poires williams, chocolat et safran 61

Gratin fruits exotiques parfumé au Malibu 62

Gratin chocolat et mirabelles au thym frais 64

Gratin figues à la cannelle et amandes fraîches 65

Gratin ananas au kirsch, cerises rouges et jaunes à la menthe 69

Gratin cola aux framboises 70

Gratin fraises des bois, huile d'olive et citron 71

Gratin oranges et bananes aux noix de pécan 74

Gratin citron vert et fraises des bois 76

Gratin agrumes au miel et brisures de meringue 77

Gratin fruits d'été et sirop d'orgeat 80

Gratin bananes, fraises et rhubarbe 82

Sommaire

Les gratins salés

Gratin camembert 86

Gratin épinards à la raclette 87

Gratin poireaux au basilic 90

Gratin pommes de terre au munster 92

Gratin ratatouille au laurier 94

Gratin salsifis aux foies de volaille 95

Gratin endives au miel et jambon de Bayonne 96

Gratin macaronis au thon 98

Gratin escargots 100

Gratin légumes du jardin 101

Gratin coquillettes aux œufs 104

Gratin cœurs d'artichaut et lardons 105

Gratin dauphinois 106

Gratin purée de carottes au bacon 108

Gratin deux saumons 109

Gratin Saint-Jacques 113

Gratin quenelles de moelle 114

Gratin brocolis 116

Gratin fenouil au chèvre 117

Gratin fruits de mer au safran 120

Sommaire

Gratin coquilles Saint-Jacques 122

Gratin courgettes farcies 124

Gratin concombre à la pancetta 125

Gratin chou-fleur au saint-marcellin 127

Gratin tagliatelles et champignons 128

Gratin colin aux tomates 130

Gratin morue de « Gorette » 131

Gratin courgettes à la provençale 134

Gratin batavia et oignons blancs 136

Gratin tomates farcies 137

Gratin céleri-rave au thym 138

Gratin parmentier 141

Gratin huîtres au champagne 142

Gratin choux verts 143

Gratin petits pois aux pointes d'asperge 146

Gratin figues au fenouil 148

Gratin potiron au chorizo 149

Gratin aubergines au parmesan 150

Gratin blettes au roquefort 153

Sommaire

Les gratins sucrés

A GRATIN
ABRICOTS, BISCUITS CUILLÈRE, AU COINTREAU

Pour 6 personnes

Plat préconisé :
des assiettes individuelles.

Temps de préparation :
30 minutes.

Ingrédients :

12 abricots
18 biscuits cuillère
1 feuilles de gélatine
5 cl d'eau
60 g de sucre semoule (1)
2 cuillerées à soupe
de Cointreau (1)
20 g de beurre
25 g de sucre cassonade
1 gousse de vanille
25 cl de nectar d'abricot

30 g de sucre semoule (2)
15 g de Maïzena
2 jaunes d'œufs
8 cl de lait entier
6 cl de crème fraîche liquide
1 cl de Cointreau (2)
3 blancs d'œufs
50 g de sucre (3)
30 g de sucre glace
1 branche de menthe fraîche

1 Faites ramollir les feuilles de gélatine dans un récipient d'eau bien froide.
2 Dénoyautez les abricots.
3 Faites bouillir l'eau et le sucre (3), ajoutez le Cointreau (1) et, à l'aide d'un pinceau, imbibez les biscuits cuillère. Disposez-les dans un plat allant au four. Poêlez les abricots avec le beurre, le sucre cassonade et la vanille fendue et grattée pendant 3 minutes à feu vif.
4 Mélangez énergiquement le sucre (1), la Maïzena et les jaunes d'œufs.
5 Dans une casserole, faites bouillir le lait et la crème et versez sur le mélange précédent (étape 4). Reversez dans la casserole et faites cuire à feu doux jusqu'à épaississement. Hors du feu, ajoutez la gélatine essorée et le Cointreau (2). Réservez.
6 Versez les blancs d'œufs dans un saladier et fouettez au batteur électrique. Ajoutez le sucre (2) en plusieurs fois, la meringue doit être de consistance souple et crémeuse. Ajoutez une petite partie de la meringue dans la crème, mélangez délicatement, puis ajoutez le restant. Tout en mélangeant, tournez le récipient et remuez afin que le mélange soit bien lisse.
7 Préchauffez le four en position gril. Versez la crème sur le dessus des abricots en la répartissant bien, passez 3 à 4 minutes sous le gril du four. Saupoudrez de sucre glace, rangez les abricots et versez sur les assiettes le nectar d'abricot, que vous aurez préalablement réduit à 10 cl en le portant à ébullition. Décorez avec les feuilles de menthe et servez aussitôt.

Les gratins de Christophe

FGRATIN
EUILLETÉ PASSION & FRAMBOISES

Pour 6 personnes

Plat préconisé :
des assiettes individuelles.

Temps de préparation :
1 heure et 30 minutes.

Ingrédients :

6 fruits de la passion
400 g de framboises
3 feuilles de gélatine
250 g de pâte feuilletée
10 cuillerées à soupe
de nectar d'abricot
5 cuillerées à soupe
de jus d'orange
60 g de sucre semoule (1)
25 g de Maïzena
5 jaunes d'œuf

15 cl de lait entier
12 cl de crème liquide
1 cuillerée à soupe
de rhum blanc
6 blancs d'œufs
65 g de sucre semoule (2)
30 g de sucre glace
Dorure :
1 œuf
1 pincée de sel

1 Ramollissez les feuilles de gélatine dans un récipient d'eau bien froide.

2 Étalez la pâte feuilletée à 3 mm d'épaisseur et coupez des rectangles de 5 cm sur 10.
Dans un bol, fouettez l'œuf et le sel et, à l'aide d'un pinceau, dorez les rectangles
feuilletés, puis laissez reposer 1 heure au réfrigérateur. Pendant ce temps,
préchauffez le four à 180 °C (thermostat 6). Faites cuire 20 à 25 minutes au four,
puis laissez refroidir. Coupez horizontalement les feuilletés en deux parts.

3 Pour la sauce, coupez les fruits de la passion, ôtez la pulpe, mélangez-la avec
le nectar d'abricot et le jus d'orange, ajoutez une pincée de sucre si nécessaire.

4 Mélangez énergiquement le sucre (1), la Maïzena et les jaunes d'œufs.

5 Dans une casserole, faites bouillir le lait et la crème et versez sur le mélange précédent.
Reversez dans la casserole et faites cuire à feu doux en continuant à remuer jusqu'à
épaississement. Hors du feu, ajoutez la gélatine essorée et le rhum, puis réservez.

6 Versez les blancs d'œufs dans un saladier et fouettez au batteur électrique,
incorporez le sucre (2) en plusieurs fois, la meringue doit être de consistance souple
et crémeuse. Mettez un peu de la meringue dans la crème, mélangez délicatement,
puis ajoutez le restant. Tout en mélangeant, tournez le récipient et remuez afin que
la crème soit bien lisse.

7 Préchauffez le four en position gril. Versez-la sur le dessus des feuilletés. Disposez
les framboises, recouvrez de crème et de sucre glace. Faites gratiner 3 minutes sous
le gril, versez la sauce sur l'assiette, ajoutez le feuilleté.

Les gratins de Christophe

GRATIN LAMBIC KRIEK & CERISES NOIRES

Pour 6 personnes

Plat préconisé :
des assiettes creuses.

Temps de préparation :
20 minutes.

Ingrédients :

600 g de cerises noires
6 prunes rouges bien mûres
5 cl de crème liquide
30 g de beurre
30 g de sucre cassonade
1 cuillerée à soupe
de gelée de groseilles

2 cuillerées à soupe d'eau
6 jaunes d'œufs
90 g de sucre semoule
10 cuillerées à soupe
de bière lambic kriek
1 cuillerée à soupe de kirsch
30 g de sucre glace

1 *Pour la crème fouettée, versez la crème liquide très froide dans un petit bol rafraîchi au congélateur ou avec des glaçons. Fouettez vivement la crème jusqu'à l'obtention d'une texture légère et ferme.*

2 *Préparez un bain-marie : versez de l'eau dans une casserole et déposez-la sur le feu, l'eau doit être frémissante.*

3 *Dénoyautez les cerises et coupez les prunes en quartiers. Dans une poêle chaude, mettez le beurre ; dès qu'il frémit, ajoutez les cerises et les prunes, faites cuire 5 minutes, enlevez les prunes, ajoutez le sucre cassonade, la gelée de groseilles et l'eau, remuez bien. Versez dans un plat. Après refroidissement, rangez sur les assiettes.*

4 *Dans une casserole, versez les jaunes d'œufs, ajoutez le sucre et la bière. Fouettez le tout vivement sur le bain-marie frémissant (feu moyen) environ 4 à 5 minutes, jusqu'à l'obtention d'une mousse crémeuse. Terminez en remuant, la casserole hors du feu : le sabayon doit être bien ferme. Faites refroidir sur de la glace en contituant à fouetter vivement, ajoutez la crème fouettée, ainsi que le kirsch.*

5 *Préchauffez le four en position gril. Versez le sabayon sur les cerises et les prunes, saupoudrez de sucre glace et faites gratiner 2 à 3 minutes.*

Le conseil de Christophe :
Les cerises edelfingen sont très parfumées, elles arrivent fin juin.

Les gratins de Christophe

F GRATIN
RANGIPANE
& RAISINS À LA CANNELLE

Pour 6 personnes

Plat préconisé :
des cassolettes.

Temps de préparation :
30 minutes.

Ingrédients :

400 g de raisin blond frais
400 g de raisin muscat frais
100 g de raisins de Corinthe
125 g de poudre d'amandes
125 g de beurre (1)
125 g de sucre semoule
2 cuillerées à soupe
de crème liquide

2 œufs
1 cuillerée à soupe
de rhum brun
1 cuillerée à café rase
de cannelle en poudre
25 g de beurre (2)
30 g de sucre glace

Préchauffez le four à 220 °C (thermostat 7-8).

1 *Dans un bol mixer, mettez le beurre ramolli (1), la poudre d'amandes, le sucre semoule, les œufs et la crème liquide, puis mixez 1 minute. Ajoutez le rhum et la cannelle, mélangez. La frangipane doit être onctueuse.*
2 *Lavez les raisins puis égrappez-les. Mettez le beurre (2) dans une poêle et faites chauffer à feu moyen, ajoutez tous les raisins et mélangez délicatement 2 à 3 minutes. Versez ensuite dans des cassolettes.*
3 *Recouvrez chaque cassolette avec 3 cuillerées à soupe de frangipane et saupoudrez de sucre glace. Mettez au four et faites cuire pendant 10 à 15 minutes. Servez tiède, avec un sorbet au citron.*

Le conseil de Christophe :
Pour les raisins blonds, utilisez de préférence les raisins chasselas, ce sont les meilleurs.

Les gratins de Christophe

GRATIN CRÈME DE MARRON, POIRES CONFÉRENCE

Pour 6 personnes

Plat préconisé :
des assiettes individuelles.

Temps de préparation :
30 minutes.

Ingrédients :

3 grosses poires très mûres
200 g de crème de marron
5 cl de crème liquide
20 g de beurre
1 cuillerée à soupe
de sucre cassonade
6 jaunes d'œufs

80 g de sucre semoule
5 cl d'eau
2 cuillerées à soupe
de cognac
100 g de brisures
de marrons confits
30 g de sucre glace

Préchauffez le four à 240 °C (thermostat 8).

1   *Pour la crème fouettée, versez la crème liquide très froide dans un petit bol rafraîchi au congélateur ou avec des glaçons. Fouettez vivement la crème jusqu'à l'obtention d'une texture légère et ferme.*

2   *Préparez un bain-marie : versez de l'eau dans une casserole et déposez-la sur le feu, l'eau doit être frémissante.*

3   *Coupez et évidez les poires en laissant un peu de chair. Étalez au fond la crème de marron en petite quantité. Coupez les morceaux de poire en petits dés et faites cuire avec le beurre et le sucre cassonade, étalez ensuite sur la crème de marron.*

4   *Dans une casserole, versez les jaunes d'œufs, ajoutez le sucre et l'eau. Fouettez le tout vivement sur le bain-marie frémissant (feu moyen) environ 4 à 5 minutes, jusqu'à l'obtention d'une mousse crémeuse. Terminez en remuant, la casserole hors du feu : le sabayon doit être bien ferme. Faites refroidir sur de la glace en continuant à fouetter vivement, ajoutez la crème fouettée et le cognac.*

5   *Versez le sabayon sur les poires, saupoudrez de sucre glace et laissez gratiner dans le four pendant 10 minutes. Décorez avec quelques brisures de marrons confits.*

Les gratins de Christophe

Gratin
Pommes, abricots au thym
& crémeux chocolat

Pour 6 personnes

Plat préconisé :
des assiettes individuelles.

Temps de préparation :
30 minutes.

Ingrédients :

6 pommes boskop
6 abricots bien mûrs
50 g de beurre
2 branches de thym frais
80 g de sucre
5 cl d'eau
6 jaunes d'œufs
5 cl de crème liquide
1 cuillerée à soupe de Cointreau

30 g de sucre glace
Crème chocolat :
300 g de chocolat
(70 % de cacao)
25 cl de lait
25 cl de crème liquide
3 jaunes d'œufs
40 g de sucre semoule

Préchauffez le four à 220 °C (thermostat 7/8).

1   *Coupez les pommes en 2 et évidez-les à l'aide d'une cuillère. Réservez
    les demi-pommes évidées. Faites cuire les morceaux de pomme et les abricots
    avec le beurre dans une poêle à feu doux jusqu'à ramollissement. Ajoutez le thym
    et mélangez délicatement. Reservez.*

2   *Hachez le chocolat en fins morceaux et mettez-le dans un saladier. Dans
    une casserole, versez le lait et la crème, faites bouillir. À part, mélangez les jaunes
    d'œufs et le sucre et versez dans le lait. Faites cuire jusqu'à ce que la crème chocolat
    nappe comme une crème anglaise. Dès qu'elle est cuite (environ 82 °C), versez-la
    en plusieurs fois sur le chocolat haché, mélangez bien puis réservez.*

3   *Préparez un bain-marie : versez de l'eau dans une casserole et déposez-la
    sur le feu, l'eau doit être frémissante.*

4   *Dans une casserole, faites bouillir le sucre et l'eau, versez sur les jaunes d'œufs
    préalablement battus. Fouettez le tout vivement sur le bain-marie frémissant
    (feu moyen) environ 4 à 5 minutes, jusqu'à l'obtention d'une mousse crémeuse.
    Terminez en remuant, la casserole hors du feu : le sabayon doit être bien ferme.
    Après refroidissement, ajoutez la crème liquide préalablement fouettée dans
    un bol refroidi, et le Cointreau.*

5   *Garnissez les demi-pommes avec les fruits poêlés, enlevez les branches de thym.
    Versez le sabayon dessus, saupoudrez de sucre glace et faites cuire au four pendant
    15 minutes. Déposez sur des assiettes et nappez avec la crème chocolat.*

Les gratins de Christophe

GRATIN FRANGIPANE, ABRICOTS & CACAHUÈTES

Pour 6 personnes

Plat préconisé :
des cassolettes.

Temps de préparation :
30 minutes.

Ingrédients :

10 abricots bien mûrs
40 g de pâte de cacahuètes
50 g de cacahuètes hachées,
sucrées et grillées ou
de pralines
125 g de poudre d'amandes

125 g de beurre
125 g de sucre semoule
2 œufs
1 cuillerée à soupe
de rhum brun
30 g de sucre glace

Préchauffez le four en position gril.

1 *Pour la frangipane, mettez dans un bol mixer le beurre ramolli, la poudre d'amandes, le sucre semoule et les œufs. Mixez 1 minute puis ajoutez le rhum. Mélangez un peu de cette crème avec la pâte de cacahuètes, lissez bien le tout, mélangez à nouveau l'ensemble, réservez.*
2 *Coupez les abricots en deux, dénoyautez-les, étalez un peu de frangipane sur les demi-abricots, posez-les sur la plaque du four puis saupoudrez-les de cacahuètes hachées et de sucre glace.*
3 *Faites gratiner 3 à 4 minutes sous le gril et dressez 3 demi-abricots par assiette.*

Le conseil de Christophe :
Achetez des paquets de pralines sur les fêtes foraines, c'est délicieux ; il suffit de les hacher.
Vous pouvez servir avec une glace à la pistache.

GRATIN
GRANNY SMITH À L'AMANDE, GRANITÉ DE CIDRE & RAISINS SECS

Pour 6 personnes

Plat préconisé :
des assiettes individuelles.

Temps de préparation :
30 minutes.

Ingrédients :

6 pommes granny smith
60 g de poudre d'amandes
50 cl de cidre
5 cuillerées à soupe
de sirop de pomme
1 citron jaune

6 jaunes d'œufs
4 cuillerées à soupe
de jus de pomme
50 g de sucre semoule
50 g de raisins secs
30 g de sucre glace

1 Mélangez le cidre avec le sirop de pomme, laissez fondre à froid 10 minutes, versez dans un bac et faites durcir au congélateur 2 à 3 heures. Grattez avec une fourchette afin d'obtenir des cristaux et déposez-les au dernier moment dans un verre.

2 Coupez les pommes en 10 quartiers, épépinez-les soigneusement, pressez le jus d'un demi-citron sur les quartiers et mélangez délicatement.

3 Répartissez les quartiers sur deux assiettes et recouvrez soigneusement d'un film alimentaire de façon hermétique. Faites cuire au micro-ondes jusqu'à ramollissement complet, procédez de façon successive afin de ne pas compoter les fruits. Si vous n'avez pas de micro-ondes, pochez les quartiers dans l'eau bouillante sucrée pendant 5 minutes.

4 Préparez un bain-marie : versez de l'eau dans une casserole et déposez-la sur le feu, l'eau doit être frémissante.

5 Mettez les jaunes d'œufs, le jus de pomme, le sucre (2) dans un saladier et posez-le sur le bain-marie, fouettez au moins 5 minutes jusqu'à l'obtention d'une couleur jaune clair et d'une mousse crémeuse. Terminez en remuant, la casserole hors du feu : le sabayon doit être bien ferme. Ajoutez alors la poudre d'amandes et mélangez.

6 Préchauffez le four en position gril.

7 Répartissez les pommes harmonieusement sur les assiettes, recouvrez avec le sabayon et ajoutez les raisins secs.

8 Gratinez sous le gril du four 3 à 4 minutes, saupoudrez d'un peu de sucre glace.

T GRATIN
THÉ EARL GREY,
PRUNEAUX & FRUITS SECS

Pour 6 personnes

Plat préconisé :
des assiettes individuelles.

Temps de préparation :
30 minutes.

Ingrédients :

30 pruneaux très moelleux
50 g de noisettes
50 g de pistaches
50 g de noix
12 cl d'eau (2)
10 g de thé earl grey (2)
80 g de sucre semoule
6 jaunes d'œufs

1 cl de rhum brun
30 g de sucre glace
Pruneaux au thé :
50 cl d'eau (1)
30 g de thé earl grey (1)
80 g de sucre
1 orange
1 citron

Préchauffez le four à 200 °C (thermostat 6-7), puis en position gril.

1 *Posez les fruits secs sur une plaque et faites cuire 10 à 15 minutes au four.*
2 *Pour les pruneaux au thé : versez l'eau (1) dans une casserole, faites bouillir, ajoutez le thé (1) ainsi que le sucre semoule, laissez refroidir, mélangez. Filtrez. Coupez l'orange et le citron en 4 en gardant la peau et ajoutez au thé sucré, versez les pruneaux et faites cuire 2 à 3 minutes, réservez. Laissez infuser quelques heures de préférence.*
3 *Pour le sabayon, versez l'eau (2) dans une casserole, faites bouillir, ajoutez le thé (2) ainsi que le sucre semoule, laissez refroidir, mélangez. Filtrez.*
4 *Préparez un bain-marie : versez de l'eau dans une casserole et déposez-la sur le feu, l'eau doit être frémissante.*
5 *Dans une casserole, versez le thé et les jaunes d'œufs. Fouettez le tout vivement sur le bain-marie frémissant (feu moyen) environ 4 à 5 minutes jusqu'à l'obtention d'une mousse crémeuse. Terminez en remuant, la casserole hors du feu : le sabayon doit être bien ferme. Ajoutez le rhum.*
6 *Égouttez les pruneaux, faites-en réduire 12 en compote puis rangez les autres sur les assiettes. Déposez un peu de compote au milieu ainsi que les fruits secs grillés.*
7 *Versez le sabayon autour, saupoudrez de sucre glace et faites gratiner 3 à 4 minutes.*

Les gratins de Christophe

V GRATIN
IN DE BANYULS,
NOIX & ABRICOTS POÊLÉS

Pour 6 personnes

Plat préconisé :
des petits bols.

Temps de préparation :
30 minutes.

Ingrédients :

12 + 4 abricots
50 g de noix hachées
50 g de pistaches
5 cuillerées à soupe
de crème liquide
25 g de beurre

50 g de sucre cassonade
150 g de groseilles
6 jaunes d'œufs
80 g de sucre semoule
10 cuillerées à soupe
de banyuls

1 *Pour la crème fouettée, versez la crème liquide très froide dans un petit bol rafraîchi au congélateur ou avec des glaçons. Fouettez vivement la crème jusqu'à l'obtention d'une texture légère et ferme.*

2 *Préparez un bain-marie : versez de l'eau dans une casserole et déposez-la sur le feu, l'eau doit être frémissante.*

3 *Faites fondre le beurre dans une poêle antiadhésive, dénoyautez 12 abricots et mettez-les dans la poêle avec le sucre cassonade et les noix hachées. Faites cuire 5 à 10 minutes à feu moyen. Coupez le restant des abricots en fines lamelles et tapissez les bols avec les tranches, étalez les abricots cuits et les groseilles au fond.*

4 *Dans une casserole, versez les jaunes d'œufs, ajoutez le sucre semoule et le banyuls. Fouettez le tout vivement sur le bain-marie frémissant (feu moyen) jusqu'à l'obtention d'une mousse légère. Terminez en fouettant, la casserole hors du feu : le sabayon doit être bien ferme. Faites refroidir sur de la glace, puis ajoutez la crème fouettée.*

5 *Préchauffez le four en position gril. Versez le sabayon sur les fruits, déposez un demi-abricot, remplissez la cavité du noyau avec le restant de sabayon et saupoudrez de sucre glace. Gratinez 3 à 4 minutes et parsemez de pistaches.*

Le conseil de Christophe :
Attention de ne pas trop cuire les abricots, ils deviendraient très acides.

Les gratins de Christophe

GRATIN
PAPAYES, ANANAS
& CITRON AU POIVRE

Pour 6 personnes

Plat préconisé :
des cassolettes.

Temps de préparation :
30 minutes.

Ingrédients :

3 papayes
1 ananas del monte (gros)
1 citron
1 pincée de poivre noir moulu
5 cl de crème liquide
6 jaunes d'œufs

90 g de sucre semoule
5 cuillerées à soupe
de jus d'orange
1 cuillerée à soupe
de rhum blanc
30 g de sucre glace

1 *Pour la crème fouettée, versez la crème liquide très froide dans un petit bol rafraîchi au congélateur ou avec des glaçons. Fouettez vivement la crème jusqu'à l'obtention d'une texture légère et ferme.*

2 *Préparez un bain-marie : versez de l'eau dans une casserole et déposez-la sur le feu, l'eau doit être frémissante.*

3 *Épluchez les papayes, coupez-les en 4 et enlevez les pépins à l'aide d'une cuillère, puis coupez la pulpe en gros dés. Épluchez l'ananas, coupez-le en tranches de 1 cm d'épaisseur, ôtez le milieu et coupez en aiguillettes. Mélangez les deux fruits et arrosez avec le jus de citron puis rangez dans des cassolettes et saupoudrez de poivre.*

4 *Dans une casserole, versez les jaunes d'œufs, ajoutez le sucre et le jus d'orange. Fouettez le tout vivement sur le bain-marie frémissant (feu moyen) environ 4 à 5 minutes, jusqu'à l'obtention d'une mousse crémeuse. Terminez en remuant, la casserole hors du feu : le sabayon doit être bien ferme. Faites refroidir sur de la glace en continuant à fouetter vivement, ajoutez la crème fouettée et le rhum blanc.*

5 *Préchauffez le four en position gril. Versez le sabayon sur les fruits et saupoudrez de sucre glace. Faites gratiner 2 à 3 minutes.*

Le conseil de Christophe :
Les meilleures papayes sont celles qui sont bien dorées, elles ressemblent à des melons allongés.

Les gratins de Christophe

RGRATIN
RHUBARBE, CITRON & VANILLE

Pour 6 personnes

Plat préconisé :
des assiettes individuelles.

Temps de préparation :
20 minutes.

Ingrédients :

1 kg de rhubarbe
2 citrons
3 feuilles de gélatine
50 g de miel de sapin
50 g de sucre (3)
30 g de beurre
10 cuillerées à soupe d'eau
60 g de sucre semoule (1)
25 g de Maïzena

5 jaunes d'œufs
15 cl de lait entier
12 cl de crème liquide
2 gousses de vanille
1 cl de kirsch
6 blancs d'œufs
65 g de sucre semoule (2)
30 g de sucre glace

1 *Ramollissez les feuilles de gélatine dans un récipient d'eau bien froide.*
2 *Épluchez la rhubarbe, coupez-la en bâtonnets, faites cuire dans une casserole avec le miel, le sucre (3) et le beurre, ajoutez 4 cuillerées à soupe d'eau, compotez légèrement. Rangez la rhubarbe sur l'assiette.*
3 *Dans une autre casserole d'eau bouillante, faites blanchir plusieurs fois la peau (les zestes) des citrons en jetant l'eau à chaque fois, ajoutez ensuite le même poids de sucre que de peau et recuire jusqu'à la fonte du sucre. Égouttez et faites cuire avec 1 pincée de sucre et un peu d'eau (très doucement) afin de les confire très légèrement, réservez.*
4 *Mélangez énergiquement le sucre (1), la Maïzena et les jaunes d'œufs.*
5 *Dans une casserole, faites bouillir le lait, la crème et les gousses de vanille coupées dans le sens de la longueur puis versez sur le mélange précédent. Reversez dans la casserole et faites cuire à feu doux jusqu'à épaississement. Hors du feu, ajoutez la gélatine essorée et le kirsch. Réservez.*
6 *Versez les blancs d'œufs dans un saladier et fouettez au batteur électrique, incorporez le sucre (2) en plusieurs fois, la meringue doit être de consistance souple et crémeuse. Mettez une petite partie de la meringue dans la crème, mélangez délicatement, puis ajoutez le restant. Tout en mélangeant, tournez le récipient afin que toute la crème soit bien lisse.*
7 *Préchauffez le four en position gril. Versez la crème sur le dessus des fruits et saupoudrez de sucre glace. Faites gratiner 3 à 4 minutes, puis parsemez des zestes de citron.*

Les gratins de Christophe

S GRATIN
SEMOULE AUX MIRABELLES

Pour 6 personnes

Plat préconisé :
des assiettes creuses.

Temps de préparation :
30 minutes.

Ingrédients :
1 kg de mirabelles
20 g de beurre
50 g de sucre semoule
1 pincée de quatre-épices
ou de cannelle
1 gousse de vanille
30 g de sucre glace

Pour la semoule :
1 litre de lait entier
70 g de sucre semoule
120 g de semoule
1 zeste d'orange
1 pincée de sel
1 cuillerée à soupe de beurre
30 g de sucre cassonade

1 *Dénoyautez les mirabelles.*
2 *Dans une poêle, faites fondre le beurre, ajoutez les mirabelles et faites cuire pendant 5 minutes à feu vif. Saupoudrez de sucre semoule, ajoutez le quatre-épices et la vanille fendue et grattée. Faites cuire 2 à 3 minutes, puis étalez dans les assiettes creuses.*
3 *Dans une casserole, versez le lait et faites-le bouillir, ajoutez la semoule (en pluie), et faites cuire jusqu'à ramollissement (à feu doux). Incorporez le zeste d'orange, le sel et le beurre. Réservez.*
4 *Préchauffez le four en position gril.*
5 *Recouvrez les mirabelles avec la semoule. Si elle a trop épaissi, ajoutez un peu de crème liquide ou de lait.*
6 *Saupoudrez de sucre glace et faites gratiner 3 à 4 minutes sous le gril du four. Saupoudrez de sucre cassonade et gratiner à nouveau 3 minutes.*

Les gratins de Christophe

B GRATIN ERGAMOTE & CHOCOLAT

Pour 6 personnes

Plat préconisé :
des assiettes creuses.

Temps de préparation :
30 minutes.

Ingrédients :

1 œuf entier
3 jaunes d'œufs
25 g de sucre
2 goutes d'huile essentielle
de bergamote
10 pommes boskop
150 g de sucre

50 g de beurre
30 g de sucre glace

Ganache chocolat :
60 g de chocolat guanaja
(70 % de cacao)
70 g de crème liquide

Préchauffez le four à 180 °C (thermostat 6).

1   *Faites bouillir la crème liquide et versez-la sur le chocolat haché, puis mélangez. Fouettez l'œuf et les jaunes ainsi que le sucre au batteur électrique jusqu'à blanchissement environ 10 minutes, ajoutez ensuite l'huile essentielle (cela doit avoir une bonne tenue). Mélangez ensuite les deux ensemble en incorporant d'abord un tiers du mélange œufs au mélange chocolat, puis ajoutez le restant et mélangez. Réservez.*
2   *Épluchez et épépinez les pommes, coupez-les en six.*
3   *Dans une poêle chaude, faites fondre le sucre jusqu'à coloration caramel, ajoutez les pommes et le beurre. Mélangez grossièrement, puis faites cuire au four pendant 1 heure (recouvrez de papier aluminium). Vérifiez la cuisson, les pommes doivent être ramollies. Mixez ensuite finement afin d'obtenir une compote caramélisée.*
4   *Augmentez la température du four à 220°C (thermostat 7-8). Étalez la compote dans les assiettes et recouvrez avec le gratin chocolat, puis saupoudrez de sucre glace. Faites cuire 6 minutes.*

Les gratins de Christophe

Gratin Minute, au champagne rosé

Pour 6 personnes

Plat préconisé :
des assiettes individuelles.

Temps de préparation :
20 à 25 minutes.

Ingrédients :

10 cl de champagne rosé
1 orange
250 g de fraises
150 g de groseilles
150 g de mûres

250 g de framboises
3 jaunes d'œufs
40 g de sucre semoule
30 g de sucre glace

1 Préparez un bain-marie : versez de l'eau dans une casserole et déposez-la sur le feu, l'eau doit être frémissante.

2 Râpez très finement l'orange afin d'obtenir des zestes très fins. Rangez tous les fruits harmonieusement sur les assiettes.

3 Dans une casserole, versez les jaunes d'œufs, ajoutez le sucre et le champagne. Fouettez le tout vivement sur le bain-marie frémissant (feu moyen) jusqu'à l'obtention d'une mousse légère. Terminez en remuant, la casserole hors du feu, le sabayon doit être bien ferme. Ajoutez les zestes d'orange et mélangez.

4 Préchauffez le four en position gril. Versez le sabayon tiède sur les fruits, saupoudrez légèrement de sucre glace et faites gratiner 3 à 4 minutes.

Le conseil de Christophe :
Vous pouvez arroser les fruits de champagne afin d'en augmenter le goût.

Les gratins de Christophe

M GRATIN ANDARINES & MIEL AU CHAMPAGNE

Pour 6 personnes

Plat préconisé :
des assiettes creuses.

Temps de préparation :
30 minutes.

Ingrédients :

12 mandarines
3 cl de miel de lavande
10 cl de champagne brut
3 jaunes d'œufs

250 g de sablés bretons,
galettes de Pont-Aven
40 g de sucre semoule
30 g de sucre glace

1 *Préparez un bain-marie : versez de l'eau dans une casserole et déposez-la sur le feu, l'eau doit être frémissante.*

2 *Épluchez les mandarines et enlevez le blanc de la peau. Arrosez-les d'un filet de miel parfumé à la lavande et rangez-les en rosace sur des assiettes puis parsemez de sablés bretons écrasés en gros morceaux.*

3 *Dans une casserole, versez les jaunes d'œufs, ajoutez le sucre et le champagne. Fouettez le tout vivement sur le bain-marie frémissant (feu moyen) environ 4 à 5 minutes jusqu'à l'obtention d'une mousse légère. Terminez en remuant, la casserole hors du feu : le sabayon doit être bien ferme.*

4 *Préchauffez le four en position gril. Versez le sabayon sur les fruits et saupoudrez de sucre glace. Faites gratiner 2 minutes.*

Le conseil de Christophe :
Goûtez les mandarines, elles doivent être très aromatiques; sinon utilisez des oranges sanguines en saison. Vous pouvez servir ce gratin avec une coupe de champagne.

Les gratins de Christophe

$\mathbf{A}^{\text{GRATIN}}_{\text{NANAS À LA PIÑA COLADA}}$

Pour 6 personnes

Plat préconisé :
des assiettes individuelles.

Temps de préparation :
25 minutes.

Ingrédients :

1 gros ananas del monte	5 jaunes d'œufs
200 g de raisins secs blonds	15 cl de lait entier
3 cuillerées à soupe	12 cl de crème liquide
de rhum brun	40 g de noix de coco râpée
3 feuilles de gélatine	6 blancs d'œufs
60 g de sucre semoule (1)	65 g de sucre semoule (2)
25 g de Maïzena	45 g de sucre glace

1   *Ramollissez les feuilles de gélatine dans un récipient d'eau bien froide.*
2   *Coupez l'ananas en quatre, avec un couteau-scie, incisez profondément au milieu, puis enlevez la pulpe en coupant à l'aide d'un petit couteau.*
3   *Pour les raisins, versez de l'eau dans une casserole et amenez-la à ébullition. Plongez-y les raisins secs et faites-les tremper 2 heures hors du feu. Égouttez bien, arrosez avec 2 cuillerées à soupe de rhum, réservez.*
4   *Parsemez le fond de l'ananas de raisins au rhum. Écrasez la pulpe de l'ananas, étalez-la par-dessus les raisins.*
5   *Mélangez énergiquement le sucre (1), la Maïzena et les jaunes d'œufs.*
6   *Préchauffez le four en position gril.*
7   *Dans une casserole, faites bouillir le lait et la crème et versez sur le mélange précédent, reversez dans la casserole et faites cuire à feu doux jusqu'à épaississement. Hors du feu, ajoutez la gélatine essorée, une cuillerée à soupe de rhum et la noix de coco râpée.*
8   *Versez les blancs d'œufs dans un saladier et fouettez au batteur électrique, incorporez le sucre (2) en plusieurs fois, la meringue doit être de consistance souple et crémeuse. Ajoutez une petite partie de la meringue dans la crème, mélangez délicatement puis mettez le restant. Tout en remuant, tournez le récipient afin que tout le mélange soit bien lisse.*
9   *Versez la crème obtenue au milieu des fruits, saupoudrez de 15 g de sucre glace et caramélisez sous le gril 3 à 4 minutes. Recommencez l'opération 2 ou 3 fois puis décorez avec le restant de raisins.*

Les gratins de Christophe

GRATIN
Soufflé à l'orange, chocolat noir, Cointreau & litchis

Pour 6 personnes

Plat préconisé :
des assiettes individuelles.

Temps de préparation :
30 minutes.

Ingrédients :

6 oranges
25 cl de jus d'orange
18 litchis
125 g de chocolat noir
(70 % de cacao)
2 cl de Cointreau

200 g de sucre semoule
15 cl de crème liquide
25 g de fécule
1 zeste d'orange
8 blancs d'œufs
30 g de sucre glace

Préchauffez le four à 240 °C (thermostat 8).

1 *Coupez et évidez les oranges. Réservez les demi-écorces.*
2 *Faites bouillir la crème liquide et versez-la sur le chocolat noir préalablement haché. Fouettez bien, étalez la ganache sur un papier et déposez au congélateur.*
3 *Dans une casserole, versez le jus d'orange et la fécule, faites cuire jusqu'à épaississement comme une crème pâtissière, puis ajoutez le Cointreau et le zeste.*
4 *Montez les blancs d'œufs en incorporant le sucre petit à petit, versez une partie des blancs mousseux dans le mélange à l'orange. Fouettez bien puis ajoutez le reste de blancs, mélangez délicatement.*
5 *Coupez la pulpe d'orange restante en petits dés, remplissez-en les écorces à moitié, épluchez et dénoyautez les litchis, coupez-les en petits morceaux et mettez-les dans les écorces. Répartissez la moitié de la ganache dans chaque orange et faites fondre l'autre moitié que vous réservez. Garnissez avec le mélange précédent (étape 4) en faisant dépasser un peu, puis saupoudrez de sucre glace.*
6 *Faites cuire au four chaud 8 minutes puis gratinez 1 minute. Sortez du four et versez la ganache fondue dessus.*

Les gratins de Christophe

BGRATIN
BANANES, MANGUES & GRIOTTES

Pour 6 personnes

Plat préconisé :
des assiettes individuelles.

Temps de préparation :
30 minutes.

Ingrédients :

6 bananes
3 mangues
100 g de griottes
3 feuilles de gélatine
le jus d'un citron
1 sachet de sucre vanillé
60 g de sucre semoule (1)
25 g de Maïzena

2 cuillerées à soupe
de rhum brun
5 jaunes d'œufs
15 cl de lait entier
12 cl de crème fraîche liquide
6 blancs d'œufs
65 g de sucre semoule (2)
30 g de sucre glace

1　Faites ramollir les feuilles de gélatine dans un récipient d'eau bien froide.

2　Préparez les bananes, coupez-les en rondelles, épluchez les mangues et coupez-les
en lamelles, rangez-les sur les assiettes, citronnez-les légèrement et parsemez
de griottes roulées dans le sucre vanillé.

3　Mélangez énergiquement le sucre (1), la Maïzena et les jaunes d'œufs.

4　Dans une casserole, faites bouillir le lait et la crème et versez sur le mélange
précédent, reversez dans la casserole et faites cuire à feu doux jusqu'à
épaississement. Hors du feu, ajoutez la gélatine essorée et le rhum brun, réservez.

5　Versez les blancs d'œufs dans un saladier et fouettez au batteur électrique,
ajoutez le sucre (2) en plusieurs fois, la meringue doit être de consistance souple
et crémeuse. Ajoutez une petite partie de la meringue dans la crème, mélangez
délicatement, puis ajoutez le restant. Tout en mélangeant, tournez le récipient
et remuez afin que le mélange soit bien lisse.

6　Préchauffez le four en position gril.

7　Versez la crème sur le dessus des fruits, saupoudrez de sucre glace et passez
3 à 4 minutes sous le gril du four.

Les gratins de Christophe

GRATIN
GRIOTTES, POIRES & PISTACHES

Pour 6 personnes

Plat préconisé :
des assiettes individuelles.

Temps de préparation :
20 minutes.

Ingrédients :

60 griottes (épicerie fine)
6 poires
60 g de pistaches hachées
12 pruneaux
3 feuilles de gélatine
60 g de sucre semoule (1)
25 g de Maïzena
5 jaunes d'œufs

20 g de pâte de pistaches
(épicerie fine)
15 cl de lait entier
12 cl de crème liquide
1 cl de kirsch
6 blancs d'œufs
65 g de sucre semoule (2)
30 g de sucre glace

1 *Faites ramollir les feuilles de gélatine dans un récipient d'eau bien froide.*
2 *Coupez et épépinez les poires, coupez-les en 8 morceaux, rangez-les sur les assiettes, répartissez les griottes bien égouttées et les pruneaux autour.*
3 *Mélangez énergiquement le sucre (1), la Maïzena, les jaunes d'œufs et la pâte de pistaches afin d'obtenir une mousse onctueuse.*
4 *Dans une casserole, faites bouillir le lait et la crème et versez sur le mélange précédent. Reversez dans la casserole et faites cuire à feu doux jusqu'à épaississement, 5 minutes environ. Hors du feu, ajoutez la gélatine essorée et le kirsch. Réservez.*
5 *Préchauffez le four en position gril.*
6 *Versez les blancs d'œufs dans un saladier et fouettez au batteur électrique, ajoutez le sucre (2) en plusieurs fois, la meringue doit être de consistance souple et crémeuse, ajoutez une petite partie de la meringue dans la crème, mélangez délicatement, puis ajoutez le restant, tout en mélangeant, tournez le récipient afin que tout le mélange soit bien lisse.*
7 *Versez la crème obtenue sur le dessus des fruits, parsemez de pistaches hachées, saupoudrez de sucre glace. Gratinez 4 à 5 minutes sous le gril du four.*

Le conseil de Christophe :
Vous pouvez faire une pâte de pistaches en mélangeant au mixeur 5 cuillerées à soupe de sirop d'orgeat et 100 g de pistaches, puis en écrasant la pâte obtenue dans un mortier.

Les gratins de Christophe

GRATIN
POIRES & PÊCHES
À LA CRÈME DE CASSIS

Pour 6 personnes

Plat préconisé :
des bols transparents.

Temps de préparation :
30 minutes.

Ingrédients :

2 poires
200 g de cassis au sirop
5 cl de crème liquide
le jus d'un citron
4 sablés bretons
6 jaunes d'œufs
70 g de sucre semoule (2)
3 cuillerées à soupe d'eau
3 cuillerées à soupe
de crème de cassis
30 g de sucre glace

Pêches pochées :

4 pêches
50 cl de vin rouge
20 cl de crème de cassis
75 g de sucre semoule (1)
2 feuilles de laurier
1 clou de girofle
1/2 orange
1/2 citron

1 *Pour la crème fouettée, versez la crème liquide très froide dans un petit bol rafraîchi au congélateur ou avec des glaçons. Fouettez-la vivement jusqu'à l'obtention d'une texture légère et ferme.*

2 *Préparez un bain-marie : versez de l'eau dans une casserole et déposez-la sur le feu, l'eau doit être frémissante.*

3 *Pour les pêches pochées, faites bouillir le vin, la crème de cassis avec le sucre (1), le laurier, le clou de girofle, la demi-orange et le demi-citron. Ajoutez les pêches entières et faites bouillir 2 minutes. Laissez refroidir et enlevez la peau des pêches.*

4 *Coupez les poires et les pêches, une partie en fines lamelles et une partie en petits carrés (en brunoise), arrosez les poires de jus de citron puis rangez dans des bols transparents. Égouttez les cassis et versez-les dans les bols. Écrasez les sablés et répartissez-les sur les cassis.*

5 *Dans une casserole, versez les jaunes d'œufs, puis le sucre (2) et l'eau. Fouettez le tout vivement sur le bain-marie frémissant (feu moyen) environ 4 à 5 minutes, le sabayon doit être bien ferme. Faites refroidir sur de la glace en continuant à mélanger, ajoutez la crème fouettée et la crème de cassis.*

6 *Préchauffez le four en position gril. Versez le sabayon sur les fruits, saupoudrez de sucre glace et faites gratiner 2 à 3 minutes.*

Les gratins de Christophe

Gratin
Pêches blanches, groseilles, sorbet au lait d'amandes

Pour 6 personnes

Plat préconisé :
des assiettes individuelles.

Temps de préparation :
35 minutes.

Ingrédients :

12 pêches blanches
200 g de groseilles rouges
100 g de groseilles blanches
6 jaunes d'œufs
80 g de sucre semoule
5 cl d'eau

2 cuillerées à soupe de kirsch
30 g de sucre glace
Sorbet au lait d'amandes :
30 cl de lait d'amandes
30 cl de lait
15 cl de crème fraîche liquide

1 *Préparez un bain-marie : versez de l'eau dans une casserole puis déposez-la sur le feu. L'eau doit être frémissante.*

2 *Dans une casserole, faites bouillir une bonne quantité d'eau, plongez-y les pêches 5 minutes, retirez-les et plongez-les dans de l'eau froide. Enlevez la peau, réservez-la et coupez les pêches en 8 quartiers, égouttez-les sur du papier absorbant. Égrappez les groseilles. Rangez les fruits pêle-mêle sur les assiettes.*

3 *Mélangez le lait d'amandes, le lait et la crème et faites un sorbet à l'aide d'une sorbetière, ou versez dans un plat et faites durcir au congélateur. Ensuite, grattez le mélange durci à l'aide d'une fourchette afin d'obtenir un granité en paillettes.*

4 *Dans une casserole, versez les jaunes d'œufs, le sucre et l'eau. Fouettez le tout vivement sur le bain-marie frémissant (feu moyen) environ 4 à 5 minutes, jusqu'à l'obtention d'une mousse crémeuse. Terminez en remuant, la casserole hors du feu : le sabayon doit être bien lisse. Ajoutez le kirsch.*

5 *Préchauffez le four en position gril. Versez le sabayon sur les fruits, saupoudrez de sucre glace et faites gratiner 3 à 4 minutes sous le gril. Quand c'est cuit, sortez les assiettes du four, ajoutez la glace et décorez de peaux de pêche.*

Le conseil de Christophe :
Faites sécher les peaux de pêche saupoudrées de sucre semoule sur une plaque antiadhésive 15 à 20 minutes dans un four à 180 °C (thermostat 6).

Les gratins de Christophe

FGRATIN
FRANGIPANE À LA PÊCHE JAUNE,
COULIS DE FRAISE & ROMARIN

Pour 6 personnes

Plat préconisé :
des assiettes individuelles.

Temps de préparation :
10 minutes.

Ingrédients :

6 pêches jaunes
400 g de fraises
125 g de poudre d'amandes
125 g de beurre
125 g de sucre semoule (1)
12 cuillerées à soupe
de rhum brun

2 œufs entiers
30 g de sucre glace
50 g de sucre semoule (2)
1 branche de romarin
30 g de pignons de pin
(épicerie fine)

Préchauffez le four en position gril.

1 *Dans un bol mixeur, mettez le beurre ramolli, la poudre d'amandes,
   le sucre semoule (1), les œufs entiers, ajoutez le rhum brun afin d'obtenir
   une crème d'amandes onctueuse.*

2 *Lavez les pêches, essuyez-les, coupez-les en deux, enlevez les noyaux. Évidez
   légèrement les demi-pêches, garnissez la cavité avec la crème d'amandes,
   et lissez sur le dessus. Saupoudrez de sucre glace.*

3 *Mixez les fraises avec le sucre (2), puis ajoutez la branche de romarin. Mélangez bien
   et laissez infuser 1 heure, puis enlevez le romarin.*

4 *Faites gratiner les pêches sous le gril du four pendant 4 à 5 minutes,
   afin de caraméliser légèrement la crème d'amandes. Versez le coulis de fraises
   sur les assiettes, puis mettez les pêches au centre. Décorez avec quelques pignons
   de pin et saupoudrez de sucre glace.*

Le conseil de Christophe :
Vous pouvez incorporer un peu de coco dans la crème d'amandes, elle n'en sera que meilleure.
Vous pouvez également utiliser cette frangipane pour les tartes bourdaloue.

Les gratins de Christophe

Gratin
FROMAGE BLANC
AUX FRUITS ROUGES & NOIRS

Pour 6 personnes

Plat préconisé :
des bols individuels.

Temps de préparation :
30 minutes.

Ingrédients :

400 g de fromage blanc battu
200 g de framboises
200 g de fraises
100 g de mûres
100 g de groseilles
100 g de myrtilles
80 g de sucre semoule
8 cl de crème liquide

1 cuillerée à café
de vanille liquide
2 jaunes d'œufs
20 g de farine
2 blancs d'œufs
1 pincée de sel
30 g de sucre glace

Préchauffez le four à 220 °C (thermostat 7-8).

1 *Dans un saladier, mélangez le fromage blanc avec le sucre semoule, la crème liquide, la vanille, les jaunes d'œufs et la farine.*

2 *Fouettez bien les blancs d'œufs avec le sel, afin d'obtenir une mousse légère.Incorporez-les progressivement dans le mélange précédent, qui doit rester lisse et homogène.*

3 *Dans les bols, versez un assortiment de fruits rouges et gardez-en une partie pour la finition.*

4 *Répartissez la crème fromage blanc dans les bols et faites cuire au four, 20 à 25 minutes. Après la cuisson saupoudrez de sucre glace et décorez avec des fruits rouges, en les posant sur les craquelures. Saupoudrez une nouvelle fois avant de servir.*

Le conseil de Christophe :
Vous pouvez cuire le gratin 1 à 2 heures à l'avance. Remettez alors les bols au four pendant 5 minutes avant de servir et décorez ensuite avec les fruits rouges.

Les gratins de Christophe

E<small>N</small> GRATIN
ROUGE & NOIR

Pour 6 personnes

Plat préconisé :
des assiettes individuelles.

Temps de préparation :
30 minutes.

Ingrédients :

3 citrons jaunes	25 g de Maïzena
pour leur zeste	5 jaunes d'œufs
300 g de mûres	15 cl de lait entier
600 g de framboises	12 cl de crème liquide
125 g de confiture de mûres	6 blancs d'œufs
3 feuilles de gélatine	65 g de sucre semoule (2)
60 g de sucre semoule (1)	30 g de sucre glace

1 Faites ramollir les feuilles de gélatine dans un récipient d'eau bien froide.

2 Rangez les framboises et les mûres sur les assiettes, versez quelques cuillerées de confiture de mûres dessus. Râpez la peau de deux citrons finement, réservez les zestes.

3 Mélangez énergiquement le sucre (1), la Maïzena et les jaunes d'œufs, ajoutez les zestes de citron râpé.

4 Pour la crème : dans une casserole, faites bouillir le lait et la crème et versez sur le mélange précédent, reversez dans la casserole et faites cuire à feu doux jusqu'à épaississement. Hors du feu, ajoutez la gélatine essorée, mélangez bien.

5 Préchauffez le four en position gril.

6 Versez les blancs d'œufs dans un saladier et fouettez au batteur électrique, ajoutez le sucre (2) en plusieurs fois, la meringue doit être de consistance souple et crémeuse. Ajoutez une petite partie de la meringue dans la crème préparée précédemment (étape 4), mélangez délicatement, puis ajoutez le restant, tout en mélangeant afin que la crème soit bien lisse.

7 Versez la crème sur le dessus des fruits. Râpez le dernier citron sur la crème et citronnez. Saupoudrez de sucre glace et passez sous le gril du four 3 à 4 minutes.

F GRATIN
FLEUR D'ORANGER, NOISETTES,
PÊCHES BLANCHES & ABRICOTS

Pour 6 personnes

Plat préconisé :
des petits bols.

Temps de préparation :
30 minutes.

Ingrédients :

6 pêches blanches
6 abricots très mûrs
1 cuillerée à soupe
de noisettes grillées
hachées sucrées
5 cuillerées à soupe d'eau
6 jaunes d'œufs

3 cuillerées à soupe
de fleur d'oranger
100 g de sucre semoule
1 sachet de sucre vanillé
30 g de sucre glace
1 cuillerée à soupe
de poudre de noisettes grillées

1 *Faites griller les noisettes au four. Enlevez la peau en les frottant entre les mains. Dans une casserole, faites bouillir de l'eau, plongez-y les pêches pendant 3 minutes, ensuite trempez-les dans de l'eau froide rafraîchie avec des glaçons, enlevez la peau et coupez chaque pêche en 8 quartiers. Faites de même avec les abricots, puis coupez-les et dénoyautez-les.*

2 *Préparez un bain-marie : versez de l'eau dans une casserole et déposez-la sur le feu, l'eau doit être frémissante.*

3 *Versez les jaunes d'œufs, l'eau, le sucre semoule et le sucre vanillé dans un saladier, posez le saladier sur le bain-marie, fouettez vivement jusqu'à une température chaude. Hors du feu, continuez à fouetter jusqu'à refroidissement, ajoutez la fleur d'orange et la poudre de noisettes.*

4 *Préchauffez le four en position gril. Versez le sabayon dans de petits bols et rangez les fruits dessus. Parsemez de noisettes et de sucre glace.*

5 *Passez les bols 3 à 4 minutes sous le gril du four.*

Le conseil de Christophe :
Accompagnez d'un sorbet cassis ou mûre.

Les gratins de Christophe

GRATIN POIRES, PAMPLEMOUSSES, PISTACHES & COCO

Pour 6 personnes

Plat préconisé :
des assiettes creuses
ou des petits bols.

Temps de préparation :
20 minutes.

Ingrédients :

3 poires doyennes du comice
4 pamplemousses roses
50 g de pistaches hachées
50 g de noix de coco râpée
5 cl de crème liquide
6 jaunes d'œufs
80 g de sucre semoule

2 cuillerées à soupe
de sirop d'orgeat
5 cuillerées à soupe de
jus de pamplemousse
1 cuillerée à soupe
de kirsch
30 g de sucre glace

1 *Pour la crème fouettée, versez la crème liquide très froide dans un petit bol rafraîchi au congélateur ou avec des glaçons. Fouettez vivement la crème jusqu'à l'obtention d'une texture légère et ferme.*

2 *Préparez un bain-marie : versez de l'eau dans une casserole et déposez-la sur le feu, l'eau doit être frémissante.*

3 *Coupez et épluchez les poires, épépinez-les et coupez-les en 8 quartiers ; épluchez les pamplemousses, enlevez les segments à l'aide d'un couteau bien aiguisé, posez le tout sur du papier absorbant, puis rangez de façon harmonieuse sur des assiettes creuses ou dans des petits bols.*

4 *Dans une casserole, mettez les jaunes d'œufs, ajoutez le sucre, le sirop d'orgeat et le jus de pamplemousse, fouettez vivement le tout sur le bain-marie frémissant (feu moyen) environ 4 à 5 minutes, jusqu'à l'obtention d'une mousse crémeuse. Terminez en remuant, la casserole hors du feu : le sabayon doit être bien ferme. Faites refroidir sur de la glace en continuant à fouetter vivement, ajoutez la crème fouettée, puis le kirsch et les pistaches hachées.*

5 *Préchauffez le four en position gril. Versez le sabayon sur les fruits, saupoudrez de noix de coco râpée, ainsi que de sucre glace, gratinez sous le gril du four 3 à 4 minutes.*

Les gratins de Christophe

GRATIN
SOUFFLÉ DE POIRES WILLIAMS, CHOCOLAT & SAFRAN

Pour 6 personnes

Plat préconisé :
des assiettes individuelles.

Temps de préparation :
30 minutes.

Ingrédients :

6 poires bien mûres
100 g de chocolat
(70 % de cacao)
1 pointe de couteau
de safran en poudre
le jus d'un citron

25 g de beurre
25 g de sucre cassonade
4 blancs d'œufs
120 g de sucre semoule
3 jaunes d'œufs
30 g de sucre glace

Préchauffez le four à 240 °C (thermostat 8).

1 *Épluchez et épépinez les poires, enduisez-les avec un peu de jus de citron et coupez en 8 quartiers égaux. Chauffez une poêle et versez le beurre, les poires, ainsi que le jus de citron restant. Faites cuire à feu vif pendant 5 à 10 minutes, ajoutez le sucre cassonade et caramélisez. Réservez.*

2 *Mettez les poires dans les assiettes, raclez dessus le chocolat en fins copeaux afin qu'il fonde légèrement.*

3 *Faites mousser les blancs au fouet en ajoutant petit à petit le sucre semoule. Quand ils sont bien fermes, ajoutez les jaunes et le safran. Mélangez délicatement, afin de ne pas faire retomber le mélange.*

4 *Recouvrez les fruits avec ce mélange, et saupoudrez de sucre glace.*

5 *Faites cuire pendant 4 à 5 minutes jusqu'à coloration, comme un biscuit.*

Le conseil de Christophe :
Versez un peu de sauce chocolat dès la sortie du four, ou une glace chocolat presque fondue.
Achetez les poires 3 ou 4 jours avant de les utiliser, afin qu'elles mûrissent bien.

Les gratins de Christophe

GRATIN
FRUITS EXOTIQUES PARFUMÉ AU MALIBU

Pour 6 personnes

Plat préconisé :
des assiettes individuelles.

Temps de préparation :
30 minutes.

Ingrédients :

3 papayes
3 mangues
4 kiwis
1 ananas victoria et ses feuilles
5 cl de vinaigre balsamique
6 jaunes d'œufs
70 g de sucre semoule

5 cuillerées à soupe
de jus de pamplemousse
5 cuillerées à soupe
de jus d'orange
2 cuillerées à soupe
de Malibu
1 branche de menthe

1 Faites réduire de moitié, en les portant à ébullition, les jus d'orange et de pamplemousse afin d'obtenir 5 cl en tout.

2 Préparez un bain-marie : versez de l'eau dans une casserole et déposez-la sur le feu, l'eau doit être frémissante.

3 Préparez les fruits, coupez les papayes en deux, enlevez les pépins, et, à l'aide d'une cuillère à pommes parisiennes, faites quelques boules dans la chair des papayes ; épluchez les mangues et faites de même, puis épluchez les kiwis et coupez-les en lamelles, enfin coupez l'ananas en fines aiguillettes. Rangez les fruits sur les assiettes. Faites bouillir le vinaigre dans une petite casserole afin de le réduire de moitié et d'obtenir une consistance sirupeuse. Réservez.

4 Dans une casserole, versez les jaunes d'œufs, ajoutez le sucre et le jus d'orange - pamplemousse. Fouettez vivement le tout sur le bain-marie frémissant (feu moyen) environ 4 à 5 minutes, jusqu'à l'obtention d'une mousse crémeuse. Terminez en remuant, la casserole hors du feu : le sabayon doit être bien ferme. Ajoutez le Malibu.

5 Préchauffez le four en position gril. Versez le sabayon sur les fruits et mettez à gratiner 3 minutes. Sortez les assiettes du four, décorez avec quelques gouttes de vinaigre balsamique, ajoutez quelques feuilles d'ananas et des feuilles de menthe.

Les gratins de Christophe

GRATIN CHOCOLAT & MIRABELLES AU THYM FRAIS

Pour 6 personnes

Plat préconisé :
des assiettes individuelles.

Temps de préparation :
25 minutes.

Ingrédients :

200 g de chocolat noir
(70 % de cacao)
1 kg de mirabelles
2 cl d'eau-de-vie
de mirabelles
50 g de beurre
30 g de sucre semoule (1)
1 gousse de vanille
1 branche de thym

20 g de sucre semoule (2)
15 g de Maïzena
4 jaunes d'œufs
15 cl de lait entier
15 cl de crème liquide
6 blancs d'œufs
80 g de sucre semoule (3)
50 g de sucre cassonade

1 Râpez le chocolat finement.
2 Dénoyautez les mirabelles. Chauffez une poêle, ajoutez le beurre, versez les mirabelles, le sucre (1) et la gousse de vanille fendue et grattée, mélangez délicatement. Faites cuire 3 à 4 minutes, déglacez avec l'eau-de-vie de mirabelles, ajoutez la branche de thym et mélangez. Enlevez le thym, rangez les mirabelles dans des plats ou des assiettes.
3 Mélangez énergiquement le sucre (2), la Maïzena et les jaunes d'œufs.
4 Dans une casserole, faites bouillir le lait et la crème et versez sur le mélange précédent. Reversez dans la casserole et faites cuire à feu doux jusqu'à épaississement. Réservez, recouvrez d'un film alimentaire, ne refroidissez pas.
5 Versez les blancs d'œufs dans un saladier et fouettez au batteur électrique. Incorporez le sucre (3) en plusieurs fois, la meringue doit être de consistance souple et crémeuse. Mettez une petite partie de la meringue dans la crème, puis versez le chocolat râpé finement. Mélangez délicatement, puis ajoutez le restant. Tout en mélangeant, tournez le récipient afin que toute la crème soit bien lisse.
6 Préchauffez le four en position gril. Versez la crème obtenue sur le dessus des fruits, saupoudrez de sucre cassonade et faites gratiner 3 à 4 minutes sous le gril du four.

Les gratins de Christophe

FGRATIN
FIGUES À LA CANNELLE
& AMANDES FRAÎCHES

Pour 6 personnes

Plat préconisé :
des assiettes individuelles.

Temps de préparation :
30 minutes.

Ingrédients :

6 grosses figues
ou 12 petites
250 g de framboises
18 amandes fraîches
5 cl de crème liquide
5 cl de lait entier
6 jaunes d'œufs

90 g de sucre semoule (1)
5 cuillerées à soupe d'eau
1 cuillerée à soupe
de liqueur de framboise

Pour le sucre cannelle :
50 g de sucre semoule (2)
2 cuillerées à café de cannelle

1 Pour la crème fouettée, versez la crème liquide très froide dans un petit bol rafraîchi
au congélateur ou avec des glaçons. Fouettez-la vivement jusqu'à l'obtention
d'une texture légère et ferme.

2 Préparez un bain-marie : versez de l'eau dans une casserole et déposez-la sur le feu,
l'eau doit être frémissante.

3 Coupez les figues en 6 en laissant la peau, mélangez le sucre (2) et la cannelle
et saupoudrez-en les figues. Cassez la coque des amandes fraîches, enlevez-leur
la peau et faites-les tremper dans le lait, afin qu'elles ne sèchent pas.
Coupez les framboises en deux avec un couteau très aiguisé, rangez les fruits
avec goût sur les assiettes.

4 Dans une casserole, versez les jaunes d'œufs, ajoutez le sucre (1) et l'eau. Fouettez
le tout vivement sur le bain-marie frémissant (feu moyen) environ 4 à 5 minutes,
jusqu'à l'obtention d'une mousse crémeuse. Terminez en remuant, la casserole hors
du feu : le sabayon doit être bien ferme. Faites refroidir sur de la glace en continuant
à fouetter vivement, puis ajoutez la crème fouettée et la liqueur de framboise.

5 Préchauffez le four en position gril. Versez le sabayon sur les fruits, saupoudrez
de sucre cannelle, faites gratiner 3 minutes, puis posez les framboises ainsi que
les amandes craquantes. Saupoudrez le pourtour d'un peu de cannelle.

Le conseil de Christophe :
Attention, la cannelle perd rapidement son parfum, refermez bien le récipient à chaque fois.

Les gratins de Christophe

Gratin
Ananas au kirsch, cerises rouges & jaunes à la menthe

Pour 6 personnes

Plat préconisé :
des assiettes individuelles.

Temps de préparation :
30 minutes.

Ingrédients :

1 ananas (gros)
24 cerises rouges
18 cerises jaunes
6 cuillerées à soupe de kirsch
2 branches de menthe
12 cl de lait
10 cl de crème fraîche liquide

1 feuille de gélatine
20 g de Maïzena
80 g de sucre semoule (1)
4 jaunes d'œufs
5 blancs d'œufs
70 g de sucre semoule (2)
30 g de sucre glace

1 Enlevez la peau de l'ananas et coupez-le en tranches. Dénoyautez les cerises, arrosez le tout avec 4 cuillerées à soupe de kirsch.

2 Dans une casserole, versez le lait et la crème, mettez à chauffer à feu doux. Pendant ce temps, trempez la gélatine dans de l'eau très froide.

3 Mélangez la Maïzena, le sucre (1) et les jaunes d'œufs. Dès que le liquide a bouilli, versez sur le mélange précédent, reversez dans la casserole et faites cuire 5 minutes environ jusqu'à épaississement. Hors du feu, ajoutez les deux cuillerées à soupe de kirsch restantes, ainsi que la gélatine, mélangez bien.

4 Fouettez les blancs d'œufs en meringue, en incorporant, petit à petit le sucre (2). Mélangez ensuite, à l'aide d'une spatule, les blancs et la crème obtenue (étape 3).

5 Préchauffez le four en position gril.

6 Sur les assiettes, rangez l'ananas et les cerises de façon harmonieuse, parsemez de quelques feuilles de menthe préalablement ciselées en lanières. Ajoutez la crème dessus et passez 3 à 4 minutes sous le gril du four, saupoudrez de sucre glace.

Les gratins de Christophe

C GRATIN
COLA AUX FRAMBOISES

Pour 6 personnes

Plat préconisé :
des assiettes creuses.

Temps de préparation :
30 minutes.

Ingrédients :

800 g de framboises bien mûres
5 cl de crème liquide
4 cuillerées à soupe de grenadine
70 g de sucre semoule

6 jaunes d'œufs
10 cuillerées à soupe
de boisson au cola
30 g de sucre glace

1 *Pour la crème fouettée, versez la crème liquide très froide dans un petit bol rafraîchi au congélateur ou avec des glaçons. Fouettez vivement la crème jusqu'à l'obtention d'une texture légère et ferme.*

2 *Préparez un bain-marie : versez de l'eau dans une casserole et déposez-la sur le feu, l'eau doit être frémissante.*

3 *Rangez les framboises sur les assiettes, arrosez de sirop de grenadine.*

4 *Dans une casserole, versez les jaunes d'œufs, ajoutez le sucre et le cola. Fouettez le tout vivement sur le bain-marie frémissant (feu moyen) environ 4 à 5 minutes, jusqu'à l'obtention d'une mousse crémeuse. Terminez en remuant, la casserole hors du feu : le sabayon doit être bien ferme. Faites refroidir sur de la glace en continuant à fouetter vivement puis ajoutez la crème fouettée.*

5 *Préchauffez le four en position gril. Versez le sabayon sur les framboises, saupoudrez de sucre glace et faites gratiner 3 à 4 minutes sous le gril.*

Le conseil de Christophe :
Vous pouvez servir avec une glace vanille.

Les gratins de Christophe

F GRATIN RAISES DES BOIS, HUILE D'OLIVE & CITRON

Pour 6 personnes

Plat préconisé :
des assiettes individuelles.

Temps de préparation :
30 minutes.

Ingrédients :

700 g de fraises des bois
15 cl d'huile d'olive
extra vierge
5 cl de crème liquide
40 g de feuilles
de menthe fraîche lavées

6 jaunes d'œufs
90 g de sucre semoule
5 cuillerées à soupe d'eau
2 gros citrons
30 g de sucre glace

1 *Pour la crème fouettée, versez la crème liquide très froide dans un petit bol rafraîchi au congélateur ou avec des glaçons. Fouettez-la vivement jusqu'à l'obtention d'une texture légère et ferme.*

2 *Préparez un bain-marie : versez de l'eau dans une casserole et déposez-la sur le feu, l'eau doit être frémissante.*

3 *Triez les fraises des bois, mettez-les dans un saladier, ajoutez la moitié de l'huile d'olive ainsi que les feuilles de menthe fraîche et la moitié du jus du citron. Mélangez délicatement afin de ne pas abîmer les fraises des bois, puis déposez un petit tas sur chacune des assiettes.*

4 *Dans une casserole, versez les jaunes d'œufs, ajoutez le sucre et l'eau. Fouettez le tout vivement sur le bain-marie frémissant (feu moyen) environ 4 à 5 minutes, jusqu'à l'obtention d'une mousse crémeuse. Terminez en remuant, la casserole hors du feu : le sabayon doit être bien ferme. Faites refroidir sur de la glace en continuant à fouetter vivement, ajoutez la crème fouettée et le reste du jus du citron.*

5 *Préchauffez le four en position gril. Versez le sabayon sur les fraises des bois et saupoudrez de sucre glace. Faites gratiner 1 à 2 minutes afin de ne pas trop cuire les fruits, puis versez autour un filet du restant de l'huile d'olive et une goutte de jus de citron.*

O GRATIN
ORANGES & BANANES
AUX NOIX DE PÉCAN

Pour 6 personnes

Plat préconisé :
des assiettes individuelles.

Temps de préparation :
30 minutes.

Ingrédients :

4 oranges
3 bananes
5 cl de crème liquide
6 jaunes d'œufs
90 g de sucre semoule (1)
6 cuillerées à soupe
de jus d'orange
30 g de sucre glace

1 cuillerée à soupe
de Cointreau
Pour les noix :
100 g de noix de pécan
50 g de sucre (2)
4 cuillerées à soupe d'eau
1 gousse de vanille grattée

1 Pour la crème fouettée, versez la crème liquide très froide dans un petit bol rafraîchi au congélateur ou avec des glaçons. Fouettez-la vivement jusqu'à l'obtention d'une texture légère et ferme.

2 Préparez un bain-marie : versez de l'eau dans une casserole et déposez-la sur le feu, l'eau doit être frémissante.

3 Pour préparer les noix, mettez le sucre (2), l'eau et la vanille dans une casserole. Mélangez, portez à ébullition et laissez cuire 30 secondes. Réduisez le feu, ajoutez les noix et mélangez énergiquement jusqu'à cristallisation. Continuez à remuer sur le feu moyen jusqu'à caramélisation, puis versez sur une plaque huilée.

4 Épluchez les bananes, coupez-les en rondelles. Pelez les oranges et prélevez les segments, rangez-les sur les assiettes.

5 Dans une casserole, versez les jaunes d'œufs, ajoutez le sucre semoule (1) et le jus d'orange. Fouettez le tout vivement sur le bain-marie frémissant (feu moyen) environ 4 à 5 minutes, jusqu'à l'obtention d'une mousse crémeuse. Terminez en remuant, la casserole hors du feu : le sabayon doit être bien ferme. Faites refroidir sur de la glace en continuant à fouetter vivement, ajoutez la crème fouettée et le Cointreau.

6 Préchauffez le four en position gril. Versez le sabayon sur les fruits, saupoudrez de sucre glace et faites gratiner 3 à 4 minutes, puis parsemez de noix de pécan.

C GRATIN
CITRON VERT & FRAISES DES BOIS

Pour 6 personnes

Plat préconisé :
des assiettes individuelles.

Matériel nécessaire :
6 cercles de 10 cm de
diamètre, hauteur 1,5 cm.

Temps de préparation :
25 minutes.

Ingrédients :

400 g de fraises des bois
12 cl de jus de citron vert
3 feuilles de gélatine
35 g de sucre semoule (1)
15 g de Maïzena
1 zeste de citron vert rapé
15 cl de crème liquide

7 blancs d'œufs
6 jaunes d'œufs
110 g de sucre semoule (2)
30 g de sucre glace

Préchauffez le four à 220 °C (thermostat 7-8).

1 *Faites ramollir les feuilles de gélatine dans un récipeint d'eau bien froide.*
2 *À l'aide des cercles de 10 cm de diamètre, rangez les fraises des bois sur les assiettes.*
3 *Mélangez énergiquement le sucre (1), la Maïzena et les jaunes d'œufs.*
4 *Dans une casserole, faites bouillir le zeste de citron, le jus et la crème et versez sur le mélange précédent. Reversez dans une casserole et faites cuire à feu doux jusqu'à épaississement. Hors du feu, ajoutez la gélatine essorée, puis reservez.*
5 *Versez les blancs d'œufs dans un saladier et fouettez au batteur éléctrique. Incorporez le sucre (2) en plusieurs fois, la meringue doit être de consistance souple et crémeuse. Mettez une petite partie de la meringue dans la crème, mélangez délicatement, puis ajoutez le restant. Tout en mélangeant, tournez le récipient afin que toute la crème soit bien lisse.*
6 *Versez-la sur le dessus des fruits en laissant les cercles. Lissez avec une palette, enlevez le cercle, puis saupoudrez de sucre glace et faites cuire au four 7 minutes.*

Le conseil de Christophe :
Vous pouvez servir ce gratin avec un sorbet fraise des bois.

Les gratins de Christophe

Gratin Agrumes au miel & brisures de meringue

Pour 6 personnes

Plat préconisé :
des assiettes individuelles.

Temps de préparation :
30 minutes.

Ingrédients :

6 oranges
6 pamplemousses roses
1 sachet de sucre vanillé
3 coques de meringue
50 g de miel liquide et foncé
70 g de sucre semoule
5 cuillerées à soupe
de jus de pamplemousse

5 cuillerées à soupe
de jus d'orange
6 jaunes d'œufs
2 cuillerées à soupe
de Cointreau
30 g de sucre glace
100 g d'oranges confites

1 *Faites réduire de moitié, en les portant à ébullition, les jus d'orange et de pamplemousse dans une casserole.*

2 *Râpez 1 orange afin de recueillir le zeste.*

3 *Coupez et épluchez les agrumes à vif (enlevez la peau jusqu'à la pulpe), détaillez des quartiers de la même taille et posez sur du papier absorbant, saupoudrez de sucre vanillé.*

4 *Dans les assiettes, rangez les quartiers en rosace en alternant oranges et pamplemousses, puis ajoutez la meringue écrasée en morceaux et le miel.*

5 *Préparez un bain-marie : versez de l'eau dans une casserole et déposez-la sur le feu, l'eau doit être frémissante.*

6 *Dans une casserole, versez le jus réduit d'orange et de pamplemousse, le sucre et les jaunes d'œufs. Fouettez le tout vivement sur le bain-marie frémissant (feu moyen) environ 4 à 5 minutes, jusqu'à l'obtention d'une mousse crémeuse. Terminez en fouettant, la casserole hors du feu : le sabayon doit être bien ferme. Ajoutez alors le Cointreau et le zeste.*

7 *Préchauffez le four en position gril.*

8 *Versez le sabayon délicatement sur les agrumes à l'aide d'une cuillère, saupoudrez de sucre glace et gratinez 3 à 4 minutes sous le gril. Sortez du four et décorez avec des oranges confites.*

Le conseil de Christophe :
Utilisez du miel de sapin d'Alsace ; il est très aromatique.

Les gratins de Christophe

FGRATIN
RUITS D'ÉTÉ & SIROP D'ORGEAT

Pour 6 personnes

Plat préconisé :
des assiettes individuelles.

Temps de préparation :
25 minutes.

Ingrédients :

150 g de groseilles
100 g de mûres
300 g de fraises
100 g de groseilles des bois
(blanches)
250 g de framboises
3 feuilles de gélatine
50 g de confiture
de framboises
6 sablés bretons

40 g de sucre semoule (1)
25 g de Maïzena
5 jaunes d'œufs
10 cl de lait entier
10 cl de crème liquide
6 cl de sirop d'orgeat
1 cuillerée à soupe de kirsch
6 blancs d'œufs
65 g de sucre semoule (2)

1   *Faites ramollir les feuilles de gélatine dans un récipient d'eau bien froide.*
2   *Étalez la confiture sur les sablés bretons et répartissez tous les fruits dessus
    de façon harmonieuse.*
3   *Mélangez énergiquement le sucre (1), la Maïzena et les jaunes d'œufs jusqu'à
    l'obtention d'une crème onctueuse.*
4   *Dans une casserole, faites bouillir le lait et la crème puis versez sur le mélange
    précédent, ajoutez le sirop d'orgeat, reversez dans la casserole et faites cuire à feu
    doux jusqu'à épaississement environ 5 minutes. Hors du feu, ajoutez la gélatine
    essorée et le kirsch.*
5   *Versez les blancs d'œufs dans un saladier et fouettez au batteur électrique,
    ajoutez le sucre (2) en plusieurs fois, la meringue doit être de consistance souple
    et crémeuse. Ajoutez une petite partie de la meringue dans la crème, mélangez
    délicatement, puis ajoutez le restant, tout en mélangeant ; tournez le récipient
    et remuez jusqu'au fond du saladier afin que le mélange soit bien lisse.*
6   *Préchauffez le four en position gril.*
7   *Versez la crème obtenue sur le dessus des fruits et laissez gratiner 3 à 4 minutes
    sous le gril du four.*

Les gratins de Christophe

GRATIN
BANANES, FRAISES & RHUBARBE

Pour 6 personnes

Plat préconisé :
des petits bols.

Temps de préparation :
30 minutes.

Ingrédients :

3 bananes bien mûres
300 g de fraises
500 g de rhubarbe
5 cl de crème liquide
le jus d'un citron
10 cuillerées à soupe d'eau

1 cuillerée à soupe
de miel d'acacia
6 jaunes d'œufs
90 g de sucre semoule
60 g de sucre glace

1 *Pour la crème fouettée, versez la crème liquide très froide dans un petit bol rafraîchi au congélateur ou avec des glaçons. Fouettez vivement la crème jusqu'à l'obtention d'une texture légère et ferme.*

2 *Préparez un bain-marie : versez de l'eau dans une casserole et déposez-la sur le feu, l'eau doit être frémissante.*

3 *Épluchez la rhubarbe et coupez-la en morceaux de 4 cm. Versez l'eau et le miel dans une casserole, faites cuire la rhubarbe dans ce sirop jusqu'à ramollissement. Égouttez-la en réservant le jus. Épluchez les bananes et coupez-les en rondelles, citronnez-les. Coupez les fraises et rangez les fruits dans les bols.*

4 *Dans une casserole, versez les jaunes d'œufs, ajoutez le sucre et 7 cuillerées à soupe du jus de rhubarbe réservé. Fouettez vivement le tout sur le bain-marie frémissant (feu moyen), environ 4 à 5 minutes, jusqu'à l'obtention d'une mousse crémeuse. Terminez en remuant, la casserole hors du feu : le sabayon doit être bien ferme. Faites refroidir sur de la glace en continuant à fouetter vivement, ajoutez la crème fouettée.*

5 *Préchauffez le four en la position gril. Versez le sabayon sur les fruits coupés, saupoudrez 30 g de sucre glace et laissez gratiner 4 minutes. Sortez du four, saupoudrez à nouveau de 30 g de sucre glace, et gratinez 1 minutes afin d'obtenir une surface croustillante.*

Les gratins salés

C GRATIN CAMEMBERT

Pour 4 à 6 personnes

Taille du plat préconisée :
La recette vaut pour un plat
familial (25 cm de diamètre ou
26 x 18 x 5 cm, par exemple)
ou pour 4 à 6 plats individuels
selon leur taille.

Temps de préparation :
20 à 25 minutes.

Ingrédients :

Pour le plat
20 g de beurre

Pour le gratin
1 camembert bien fait
4 gros oignons
50 g de beurre
2 cubes de bouillon dans 1 litre d'eau
1/2 litre de vin blanc sec
4 tranches de pain de campagne rassis
40 g de gruyère râpé
1 pincée de sel et de poivre

Préchauffez le four à 210 °C (thermostat 7).

1 *Coupez les oignons et hachez-les finement.*
2 *Dans une grande casserole, faites fondre les oignons à feu doux
   avec le beurre en remuant. Arrosez avec le bouillon et le vin blanc, salez, poivrez
   et laissez cuire 20 minutes à feu doux.*
3 *Retirez la croûte du camembert.*
4 *Faites griller les tranches de pain, puis tartinez-les avec le camembert.*
5 *Disposez ces tartines au fond d'une soupière (allant au four). Arrosez avec
   le bouillon, puis saupoudrez de gruyère râpé.*
6 *Faites cuire au four 10 minutes.*
7 *Servez bien chaud.*

GRATIN
ÉPINARDS À LA RACLETTE

Pour 4 à 6 personnes

Taille du plat préconisée :
La recette vaut pour un plat familial (25 cm de diamètre ou 26 x 18 x 5 cm, par exemple) ou pour 4 à 6 plats individuels selon leur taille.

Temps de préparation :
20 à 25 minutes.

Ingrédients :

Pour le plat
20 g de beurre

Pour le gratin
1 kg d'épinards frais en branches
300 g de fromage à raclette
3 cuillerées à soupe d'huile d'olive
3 gousses d'ail haché
3 échalotes hachées
1 poignée de persil haché
20 cl de crème fraîche
1 pincée de sel et de poivre

Préchauffez le four à 210 °C (thermostat 7).

1   *Dans une cocotte, faites revenir avec l'huile d'olive les épinards frais pendant 15 à 20 minutes à feu vif, ajoutez l'ail, les échalotes, le persil, salez, poivrez, puis mettez la crème fraîche.*
2   *Préparez un plat à gratin beurré.*
3   *Mettez une couche d'épinards, puis une couche de fromage à raclette coupé en tranches et renouvelez les couches jusqu'à épuisement des éléments, en terminant par une couche de fromage à raclette.*
4   *Faites cuire au four 20 minutes.*
5   *Servez bien chaud.*

Les gratins de Christophe

P GRATIN
OIREAUX AU BASILIC

Pour 4 à 6 personnes

Taille du plat préconisée :
La recette vaut pour un plat familial (25 cm de diamètre ou 26 x 18 x 5 cm, par exemple) ou pour 4 à 6 plats individuels selon leur taille.

Temps de préparation :
30 à 35 minutes.

Ingrédients :

Pour le plat
20 g de beurre
Pour le gratin
2,5 kg de poireaux
10 tomates
3 cuillerées à soupe d'huile d'olive
100 g d'oignons
3 gousses d'ail pilé
1 poignée de basilic
1 poignée de persil
60 g de parmesan
1 pincée de sel et de poivre du moulin

Préchauffez le four à 210 °C (thermostat 7).

1 *Épluchez et lavez les poireaux coupés en tronçons. Cuisez-les 10 minutes à l'eau bouillante salée, puis égouttez-les.*
2 *Lavez et essuyez les tomates, pelez-les, en les plongeant dans l'eau bouillante pour faciliter l'opération, coupez-les en quartiers. Dans une cocotte ou une poêle, versez l'huile d'olive, mettez les tomates, puis ajoutez l'ail pilé et le persil haché. Salez, poivrez. Cuisez le tout 5 à 7 minutes à feu vif, jusqu'à ce que les tomates soient confites.*
3 *Dans un plat à gratin beurré, disposez en diagonale les poireaux et les tomates. Parsemez de copeaux de parmesan.*
4 *Faites cuire au four 15 minutes.*
5 *Servez bien chaud.*

Les gratins de Christophe

P GRATIN
OMMES DE TERRE AU MUNSTER

Pour 4 à 6 personnes

Taille du plat préconisée :
La recette vaut pour un plat
familial (25 cm de diamètre ou
26 x 18 x 5 cm, par exemple)
ou pour 4 à 6 plats individuels
selon leur taille.

Temps de préparation :
30 à 35 minutes.

Ingrédients :

Pour le plat
20 g de beurre
Pour le gratin
1 kg de pommes de terre bien fermes
(belle-de-fontenay, par exemple)
115 g de munster
100 g de lard fumé coupé en petits lardons
3 cuillerées à soupe d'huile d'olive
2 œufs
10 cl de crème fraîche
1 petite poignée de cumin
1 pincée de sel et de poivre

Préchauffez le four à 210 °C (thermostat 7).

1 *Faites cuire les pommes de terre dans de l'eau salée à feu vif pendant 20
   à 25 minutes en moyenne, ensuite pelez-les, et coupez-les en rondelles épaisses.*
2 *Dans une poêle, laissez revenir le lard à feu vif dans un peu d'huile d'olive,
   pendant 5 minutes.*
3 *Mettez le munster au réfrigérateur afin de pouvoir bien le couper.
   Pendant ce temps, mélangez dans un bol les œufs et la crème ; réservez-les.*
4 *Dans un plat à gratin beurré, mettez les pommes de terre, salez, poivrez, rajoutez
   le lard, versez le mélange œufs-crème, puis disposez le munster en tranches,
   parsemez de cumin et enfournez le plat.*
5 *Faites cuire au four 15 à 20 minutes.*
6 *Servez bien chaud.*

Les gratins de Christophe

R GRATIN
RATATOUILLE AU LAURIER

Pour 4 à 6 personnes

Taille du plat préconisée :
La recette vaut pour un plat
familial (25 cm de diamètre ou
26 x 18 x 5 cm, par exemple)
ou pour 4 à 6 plats individuels
selon leur taille.

Temps de préparation :
35 à 40 minutes.

Ingrédients :

Pour le plat
20 g de beurre

Pour le plat
2 aubergines
3 tomates + 1 cuillère à soupe
de concentré de tomates
3 courgettes
1 poivron
3 gousses d'ail
1 belle poignée de persil haché
1 pincée de basilic frais
3 cuillerées à soupe d'huile d'olive
5 ou 7 feuilles de laurier
chapelure
80 g de gruyère râpé
20 g de beurre (à découper en petits carrés)
1 pincée de sel et de poivre

Préchauffez le four à 210 °C (thermostat 7).

1 *Dans une cocotte, faites revenir les aubergines, les tomates, le concentré, les cour-*
   gettes et le poivron coupés en petits dés dans l'huile d'olive, ajoutez l'ail, le persil,
   le basilic et 3 feuilles de laurier, salez, poivrez. Laissez mijoter 30 minutes environ
   à feu moyen.
2 *Une fois la ratatouille réduite et un peu confite, préparez un plat à gratin beurré.*
3 *Versez la ratatouille, parsemez de chapelure et de gruyère râpé.*
4 *Ajoutez quelques carrés de beurre et quelques feuilles de laurier.*
5 *Faites cuire au four 20 minutes.*
6 *Servez bien chaud.*

Les gratins de Christophe

S GRATIN
SALSIFIS AUX FOIES DE VOLAILLE

Pour 4 à 6 personnes

Taille du plat préconisée :
La recette vaut pour un plat
familial (25 cm de diamètre ou
26 x 18 x 5 cm, par exemple)
ou pour 4 à 6 plats individuels
selon leur taille.

Temps de préparation :
25 à 30 minutes.

Ingrédients :

Pour le plat
20 g de beurre
Pour le gratin
1 kg de salsifis
300 g de foies de volaille
50 g de beurre
3 cuillerées à soupe de farine
12,5 cl de lait (1 verre)
4 cuillerées à soupe de crème fraîche
3 cuillerées à soupe d'huile d'olive
3 gousses d'ail haché
1 belle poignée de persil haché
1 verre à liqueur de cognac
80 g de gruyère râpé
1 pincée de sel et de poivre du moulin

Préchauffez le four à 210 °C (thermostat 7).

1 *Faites cuire les salsifis 20 minutes environ dans de l'eau salée bouillante,*
   égouttez-les et réservez-les.
2 *Pour la sauce béchamel, faites fondre le beurre, ajoutez la farine, mélangez*
   au fouet et laissez cuire 1 minute ; ajoutez le lait froid, puis la crème
   et mélangez encore au fouet, salez et poivrez.
3 *Dans l'huile d'olive, poêlez les foies de volaille à feu moyen pendant 5 minutes,*
   ajoutez l'ail, le persil, le sel et le poivre, puis flambez le tout au cognac.
4 *Dans un plat à gratin beurré, mettez les salsifis puis les foies de volaille,*
   nappez de sauce béchamel et parsemez de gruyère râpé.
5 *Faites cuire au four 20 minutes.*
6 *Servez bien chaud.*

Les gratins de Christophe

Gratin Endives au miel & jambon de Bayonne

Pour 4 à 6 personnes

Taille du plat préconisée :
La recette vaut pour un plat
familial (25 cm de diamètre ou
26 x 18 x 5 cm, par exemple)
ou pour 4 à 6 plats individuels
selon leur taille.

Temps de préparation :
25 à 30 minutes.

Ingrédients :

Pour le plat
20 g de beurre

Pour le gratin
1 kg d'endives bien blanches
1 citron
2 cuillerées à soupe de miel liquide
3 cuillerées à soupe d'huile d'olive
2 œufs
4 cuillerées à soupe de crème fraîche
25 cl de lait
4 tranches de jambon de Bayonne
60 g de parmesan râpé ou en copeaux
1 pincée de sel et de poivre

Préchauffez le four à 210 °C (thermostat 7).

1 *Mettez les endives dans l'eau frémissante salée pendant 10 minutes,*
   ajoutez des rondelles de citron dans l'eau.
2 *Égouttez les endives et passez-les à la poêle avec le miel et l'huile d'olive.*
   Salez, poivrez, laissez roussir un peu.
3 *Dans un bol, mélangez les œufs, la crème fraîche et le lait.*
4 *Beurrez un plat à gratin, placez-y les endives, puis, par-dessus, le jambon*
   de Bayonne coupé en lamelles de 2 cm. Versez la préparation aux œufs dessus,
   puis parsemez de parmesan.
5 *Faites cuire au four 20 minutes environ.*
6 *Servez bien chaud.*

Les gratins de Christophe

M GRATIN
ACARONIS AU THON

Pour 4 à 6 personnes

Taille du plat préconisée :
La recette vaut pour un plat
familial (25 cm de diamètre ou
26 x 18 x 5 cm, par exemple)
ou pour 4 à 6 plats individuels
selon leur taille.

Temps de préparation :
20 à 25 minutes.

Ingrédients :

Pour le plat
20 g de beurre

Pour le gratin
300 g de macaronis
150 g de thon en boîte
1 cuillerée à soupe d'huile d'arachide
3 gousses d'ail
1 poignée de persil haché
2 œufs
8 cl de crème fraîche
50 cl de lait
50 g de beurre
60 g de parmesan râpé ou en copeaux
1 pincée de sel et de poivre

Préchauffez le four à 210 °C (thermostat 7).

1 *Faites cuire les pâtes dans l'eau bouillante salée avec l'huile d'arachide.
Après 6 à 10 minutes de cuisson, rincez-les à l'eau froide pour éviter
qu'elles ne collent. Réservez.*

2 *Dans un saladier, écrasez le thon, ajoutez l'ail et le persil hachés, puis incorporez
les œufs, la crème fraîche et le lait, salez, poivrez.*

3 *Dans un plat à gratin bien beurré, mettez une couche de thon, puis une couche
de pâtes et recommencez jusqu'à épuisement des éléments.*

4 *Ajoutez le beurre restant au-dessus et parsemez de parmesan.*

5 *Faites cuire au four 15 à 20 minutes.*

6 *Servez bien chaud.*

Les gratins de Christophe

Gratin Escargots

Pour 4 à 6 personnes

Taille du plat préconisée :
4 à 6 plats individuels selon leur taille.

Temps de préparation :
5 à 10 minutes.

Ingrédients :

Pour le plat
20 g de beurre

Pour le gratin
200 g d'escargots
200 g de beurre
1 bonne poignée de persil haché finement
3 gousses d'ail haché finement
2 échalotes hachées finement
80 g de gruyère râpé
1 pincée de sel et de poivre

Préchauffez le four en position gril.

1 *Préparez le beurre d'escargots en mélangeant le beurre écrasé, le persil, l'ail et les échalotes, salez et poivrez.*
2 *Disposez les escargots dans des ramequins individuels, puis étalez le beurre d'escargots par-dessus et parsemez de gruyère râpé.*
3 *Faites gratiner au four 4 à 5 minutes.*
4 *Servez bien chaud.*

Les gratins de Christophe

L GRATIN
LÉGUMES DU JARDIN

Pour 4 à 6 personnes

Taille du plat préconisée :
La recette vaut pour un plat
familial (25 cm de diamètre ou
26 x 18 x 5 cm, par exemple)
ou pour 4 à 6 plats individuels
selon leur taille.

Temps de préparation :
30 à 40 minutes.

Ingrédients :

Pour le plat
20 g de beurre
Pour le gratin
1 botte de carottes
2 poireaux
1 aubergine
2 courgettes
300 g de haricots verts frais
4 petits navets
2 artichauts
3 gousses d'ail
3 cuillerées à soupe d'huile d'olive
2 oignons
3 tomates
20 cl de crème fraîche
60 g de parmesan râpé ou en copeaux
1 pincée de sel et de poivre

Préchauffez le four à 210 °C (thermostat 7).

1 *Coupez les légumes très finement. Faites-les blanchir séparément 4 à 5 minutes
   dans l'eau bouillante. Salez, poivrez.*
2 *À feu vif, mettez dans une poêle l'huile d'olive, ajoutez les oignons coupés
   en lamelles, puis les tomates pelées, en les plongeant dans de l'eau bouillante pour
   faciliter l'opération, et coupées en rondelles, salez, poivrez et faites cuire 10 minutes.*
3 *Faites également blanchir les artichauts dans de l'eau salée bouillante pendant
   5 à 10 minutes, et ne prenez que les cœurs.*
4 *Faites blanchir l'ail avec l'un des légumes.*
5 *Dans un plat à gratin beurré, disposez les légumes à votre goût, ajoutez un filet
   d'huile d'olive et puis la crème fraîche, et parsemez de parmesan râpé.*
6 *Faites cuire au four 20 à 30 minutes et servez bien chaud.*

Les gratins de Christophe

CGRATIN COQUILLETTES AUX ŒUFS

Pour 4 à 6 personnes

Taille du plat préconisée :
La recette vaut pour un plat
familial (25 cm de diamètre ou
26 x 18 x 5 cm, par exemple)
ou pour 4 à 6 plats individuels
selon leur taille.

Temps de préparation :
15 à 20 minutes.

Ingrédients :

Pour le plat
20 g de beurre
Pour le gratin
250 g de pâtes (coquillettes)
4 œufs
50 g de beurre
1 oignon
4 grosses tomates
1 morceau de sucre
150 g de gruyère râpé
1 cuillerée à soupe d'huile d'arachide
1 pincée de sel et de poivre

Préchauffez le four à 210 °C (thermostat 7).

1 *Dans l'eau salée bouillante additionnée d'une cuillerée à soupe d'huile d'arachide,*
   faites cuire les pâtes pendant 6 à 10 minutes, et réservez-les.
2 *Dans une poêle ou une casserole, mettez le beurre, l'oignon coupé, puis les tomates,*
   préalablement pelées, en les plongeant dans l'eau bouillante pour faciliter l'opéra-
   tion, et coupées en morceaux. Ajoutez le morceau de sucre, salez, poivrez. Laissez
   confire la sauce à feu moyen pendant 15 minutes environ.
3 *Faites cuire les œufs durs 5 minutes dans l'eau bouillante et réservez-les.*
4 *Dans un plat à gratin beurré, mettez les pâtes. Versez la sauce tomate dessus,*
   puis placez les œufs coupés en rondelles, et parsemez le tout de gruyère râpé.
5 *Faites cuire au four 15 à 20 minutes.*
6 *Servez bien chaud.*

Les gratins de Christophe

C GRATIN
CŒURS D'ARTICHAUT & LARDONS

Pour 4 à 6 personnes

Taille du plat préconisée :
La recette vaut pour un plat familial (25 cm de diamètre ou 26 x 18 x 5 cm, par exemple) ou pour 4 à 6 plats individuels selon leur taille.

Temps de préparation :
20 à 25 minutes.

Ingrédients :

Pour le plat
20 g de beurre

Pour le gratin
10 cœurs d'artichaut frais ou surgelés
250 g de lardons fumés
le jus de 1 citron
15 petits oignons
40 g de beurre
1 pincée de sucre
1 cuillerée à soupe d'huile d'olive
3 gousses d'ail
1 poignée de persil haché
1 pincée de thym
10 cl de crème fraîche liquide
1 jaune d'œuf
80 g de gruyère râpé
1 pincée de sel et de poivre

Préchauffez le four à 210 °C (thermostat 7).

1   *Citronnez bien les cœurs d'artichaut et réservez-les.*
2   *Pelez les oignons, mettez-les dans une casserole avec un demi-verre d'eau. Ajoutez le beurre et le sucre, et laissez cuire pendant 20 minutes à feu moyen.*
3   *Faites poêler les lardons avec 1 cuillerée à soupe d'huile d'olive. Mettez l'ail et le persil hachés, le thym et les petits oignons, et faites cuire à feu vif pendant 5 à 10 minutes.*
4   *Dans un plat à gratin beurré, mettez les artichauts, puis ajoutez le mélange oignons et lardons.*
5   *À côté, fouettez la crème et ajoutez le jaune d'œuf. Versez le tout dans le plat, puis parsemez de gruyère râpé.*
6   *Faites cuire au four 20 minutes et servez bien chaud.*

Les gratins de Christophe

GRATIN DAUPHINOIS

Pour 4 à 6 personnes

Taille du plat préconisée :
La recette vaut pour un plat familial (25 cm de diamètre ou 26 x 18 x 5 cm, par exemple) ou pour 4 à 6 plats individuels selon leur taille.

Temps de préparation :
15 à 20 minutes.

Ingrédients :

Pour le plat
20 g de beurre

Pour le gratin
1,250 kg de pommes de terre (belle-de-fontenay, par exemple)
2 œufs
75 cl de lait
4 cuillerées à soupe de crème fraîche liquide
1 gousse d'ail
100 g de beurre
1 pincée de noix de muscade
branches de thym
1 pincée de sel et de poivre

Préchauffez le four à 200 °C (thermostat 6-7).

1 Frottez un plat à gratin avec l'ail épluché.
2 Beurrez le plat.
3 Battez les œufs, ajoutez le lait et la crème, salez et poivrez.
4 Étalez des pommes de terre (épluchées et coupées en rondelles) et couvrez avec une partie de la préparation, recommencez jusqu'à épuisement des éléments, salez, poivrez.
5 Saupoudrez avec de la noix de muscade râpée, ajoutez quelques branches de thym et mettez le beurre coupé en petits dés.
6 Faites cuire au four pendant environ 45 minutes.
6 Servez bien chaud.

Les gratins de Christophe

P GRATIN
PURÉE DE CAROTTES AU BACON

Pour 4 à 6 personnes

Taille du plat préconisée :
La recette vaut pour un plat
familial (25 cm de diamètre ou
26 x 18 x 5 cm, par exemple)
ou pour 4 à 6 plats individuels
selon leur taille.

Temps de préparation :
15 à 20 minutes.

Ingrédients :

Pour le plat
20 g de beurre
Pour le gratin
1 kg de carottes
6 tranches de bacon
100 g de beurre
12,5 cl de lait (1 verre)
80 g de gruyère râpé
1 pincée de sel et de poivre

Préchauffez le four à 210 °C (thermostat 7).

1 *Dans une casserole d'eau salée, faites cuire les carottes épluchées 30 à 40 minutes
   environ à feu vif, puis passez-les au presse-purée. Incorporez le beurre et le lait
   pour lier le tout, salez, poivrez.*
2 *Dans un plat à gratin beurré, versez la purée (assez liquide). Décorez de tranches
   de bacon et parsemez de gruyère râpé.*
3 *Faites cuire au four 15 minutes environ.*
4 *Servez bien chaud.*

D GRATIN
EUX SAUMONS

Pour 4 à 6 personnes

Taille du plat préconisée :
La recette vaut pour un plat
familial (25 cm de diamètre ou
26 x 18 x 5 cm, par exemple)
ou pour 4 à 6 plats individuels
selon leur taille.

Temps de préparation :
30 à 35 minutes.

Ingrédients :

Pour le plat
20 g de beurre

Pour le gratin
1,2 kg de pommes de terre
300 g de saumon frais
300 g de saumon fumé
1 sachet de court-bouillon
10 brins de ciboulette ciselée
20 cl de crème fraîche
80 g de gruyère râpé
1 pincée de sel et de poivre

Préchauffez le four à 210 °C (thermostat 7).

1   *Faites cuire les pommes de terre dans l'eau salée à feu vif pendant
    20 à 25 minutes environ, puis pelez et coupez-les en lamelles. Réservez.*
2   *Dans un court-bouillon, pochez le saumon frais, salez, poivrez et mettez-le de côté.*
3   *Ensuite, préparez un plat à gratin beurré.*
4   *Mettez une couche de pommes de terre, parsemez de ciboulette, puis une couche
    de saumon frais et de saumon fumé, renouvelez l'opération plusieurs fois. Ajoutez
    la crème fraîche, parsemez à nouveau de ciboulette, et finissez avec le gruyère râpé.*
5   *Faites cuire au four 20 à 30 minutes.*
6   *Servez bien chaud.*

Les gratins de Christophe

GRATIN SAINT-JACQUES

Pour 3 personnes

Plat préconisé :
3 ramequins individuels.

Temps de préparation :
15 à 20 minutes.

Ingrédients :

Pour le plat
20 g de beurre

Pour le gratin
9 noix de Saint-Jacques
200 g de beurre
3 gousses d'ail haché finement
2 échalotes hachées finement
1 poignée de persil haché finement
80 g de gruyère râpé
1 pincée de sel et de poivre

Préchauffez le four en position gril.

1 *Écrasez le beurre, ajoutez l'ail, les échalotes et le persil hachés, salez, poivrez (on peut également acheter le beurre déjà mélangé).*
2 *Disposez 3 noix de Saint-Jacques par ramequin.*
3 *Étalez une cuillerée à soupe de beurre préparé et parsemez de gruyère râpé.*
4 *Faites gratiner au four 4 à 5 minutes.*
5 *Servez bien chaud.*

Les gratins de Christophe

Q GRATIN
UENELLES DE MOELLE

Pour 4 à 6 personnes

Taille du plat préconisée :
La recette vaut pour un plat
familial (25 cm de diamètre ou
26 x 18 x 5 cm, par exemple)
ou pour 4 à 6 plats individuels
selon leur taille.

Temps de préparation :
15 à 20 minutes.

Ingrédients :

Pour le plat
20 g de beurre
Pour les quenelles
3 os à moelle environ
3 œufs
3 gousses d'ail hachées
1 belle poignée de persil haché
2 échalotes hachées
1 pincée de noix de muscade
chapelure
2 cubes de bouillon de pot-au-feu
1 pincée de sel et poivre
Pour la préparation
2 jaunes d'œuf
12,5 cl de lait
4 cuillerées à soupe de crème fraîche
80 g de gruyère râpé
1 pincée de sel et poivre

Préchauffez le four à 210 °C (thermostat 7).

1   *Pour les quenelles, sortez la moelle des os, écrasez-la avec une fourchette, ajoutez
les œufs, l'ail, le persil et les échalotes, salez, poivrez, râpez de la noix de muscade,
mélangez bien, ajoutez de la chapelure en quantité suffisante pour obtenir
une masse bien ferme. Faites des quenelles rondes.*
2   *Dans une casserole pleine d'eau, ajoutez les cubes de bouillon, faites bouillir
et mettez vos quenelles à cuire environ 2 ou 3 minutes, puis égouttez-les. Mettez-les
dans un plat à gratin beurré.*
3   *Dans un bol, battez les jaunes d'œufs, ajouter le lait et la crème, salez, poivrez.*
4   *Versez ce mélange sur les quenelles et parsemez de gruyère.*
5   *Faites cuire au four 5 à 10 minutes et servez bien chaud.*

Les gratins de Christophe

BGRATIN ROCOLIS

Pour 4 à 6 personnes

Taille du plat préconisée :
La recette vaut pour un plat
familial (25 cm de diamètre ou
26 x 18 x 5 cm, par exemple)
ou pour 4 à 6 plats individuels
selon leur taille.

Temps de préparation :
20 à 25 minutes.

Ingrédients :

Pour le plat
20 g de beurre
Pour le gratin
1 kg de brocolis
80 g de beurre
3 cuillerées à soupe de farine
25 cl de lait
4 cuillerées à soupe de crème fraîche
1 pincée de noix de muscade
80 g de gruyère râpé
1 pincée de sel et de poivre

Préchauffez le four à 210 °C (thermostat 7).

1 *Précuisez les brocolis dans de l'eau salée bouillante environ 15 minutes. Égouttez.*
2 *Préparez une sauce béchamel en faisant fondre le beurre, ajoutez la farine
   puis versez le lait et, à la fin, la crème fraîche. Ajoutez également une louche d'eau
   de cuisson des brocolis. Salez, poivrez et ajoutez la noix de muscade.
   Laissez cuire 10 à 15 minutes.*
3 *Dans un plat à gratin beurré, disposez les brocolis, puis versez la sauce béchamel
   par-dessus et parsemez de gruyère râpé.*
4 *Faites cuire au four 20 à 25 minutes.*
5 *Servez bien chaud.*

Les gratins de Christophe

FGRATIN
FENOUIL AU CHÈVRE

Pour 4 à 6 personnes

Taille du plat préconisée :
La recette vaut pour un plat
familial (25 cm de diamètre ou
26 x 18 x 5 cm, par exemple)
ou pour 4 à 6 plats individuels
selon leur taille.

Temps de préparation :
20 à 25 minutes.

Ingrédients :

Pour le plat
20 g de beurre
Pour le gratin
3 fenouils
1 chèvre en bûche
1 jaune d'œuf
10 cl de crème fraîche
1 filet d'huile d'olive
1 pincée de sel et de poivre en grains

Préchauffez le four à 210 °C (thermostat 7).

1 *Faites blanchir dans l'eau frémissante les fenouils coupés en deux (enlevez le trognon)
   pendant 20 à 25 minutes. Salez, poivrez.*
2 *Mélangez le jaune avec la crème fraîche, salez, poivrez.*
3 *Dans un plat à gratin beurré, disposez les fenouils égouttés, puis posez par-dessus
   le chèvre coupé en tranches, versez la préparation à base de crème,
   et ajoutez un filet d'huile d'olive sur le chèvre.*
4 *Faites cuire au four pendant 20 à 25 minutes.*
5 *Servez bien chaud.*

Les gratins de Christophe

FGRATIN
RUITS DE MER AU SAFRAN

Pour 4 à 6 personnes

Taille du plat préconisée :
La recette vaut pour un plat
familial (25 cm de diamètre ou
26 x 18 x 5 cm, par exemple)
ou pour 4 à 6 plats individuels
selon leur taille.

Temps de préparation :
30 à 35 minutes.

Ingrédients :

Pour le plat
20 g de beurre
Pour le gratin
6 coquilles Saint-Jacques
1 kg de moules
8 langoustines
200 g de crevettes décortiquées
(roses de préférence)
4 échalotes
20 cl de vin blanc sec
200 g de riz
70 g de beurre
50 g de farine
20 cl de crème fraîche
safran et thym
2 ou 3 feuilles de laurier
80 g de gruyère râpé
1 pincée de sel et de poivre

Préchauffez le four à 240 °C (thermostat 8).

1 *Mettez l'eau sur les Saint-Jacques, les moules et les langoustines pour qu'elles soient
   recouvertes, tout cela dans une casserole avec les échalotes, le vin blanc, le thym, le laurier, du sel et du poivre, puis laissez cuire à l'eau frémissante pendant 5 à 6 minutes.*
2 *À part, préparez le riz, faites-le cuire 15 à 16 minutes dans l'eau bouillante salée.
   Égouttez puis réservez.*
3 *Faites fondre le beurre dans une casserole, ajoutez la farine, mélangez au fouet et
   laissez cuire 1 minute, arrosez avec un peu du bouillon de fruits de mer et mélangez
   encore au fouet, mettez 1 g de safran dans la sauce et ajoutez la crème fraîche.*
4 *Dans un plat à gratin beurré, mettez le riz, puis posez les fruits de mer
   ainsi que les crevettes, et versez la sauce dessus. Parsemez de gruyère râpé.*
5 *Faites cuire au four pendant 20 à 30 minutes et servez bien chaud.*

Les gratins de Christophe

C GRATIN
COQUILLES SAINT-JACQUES

Pour 3 personnes

Plat préconisé : les 3 coquilles.

Temps de préparation :
20 à 25 minutes.

Ingrédients :

Pour le plat
20 g de beurre

Pour le gratin
3 coquilles Saint-Jacques
150 g de crevettes décortiquées
(roses, de préférence)
150 g de moules
50 g de beurre
2 cuillerées à soupe de farine
25 cl de lait
2 cuillerées à soupe de crème fraîche
3 champignons de Paris
1 pincée de noix de muscade
80 g de gruyère râpé
1 pincée de sel et de poivre

Préchauffez le four à 210 °C (thermostat 7).

1 *Lavez les Saint-Jacques, enlevez-les de leur coquille.*
2 *Pour la béchamel, faites fondre le beurre dans une casserole, ajoutez la farine,*
   mélangez au fouet en versant peu à peu le lait froid et la crème. Ajoutez
   les crevettes, les moules, les champignons coupés en lamelles et la pincée de muscade.
3 *Servez-vous de la coquille profonde comme plat individuel, mettez la noix*
   de Saint-Jacques et versez par-dessus le mélange à base de sauce béchamel.
4 *Parsemez de gruyère râpé.*
5 *Faites cuire au four 20 minutes.*
6 *Servez bien chaud.*

Les gratins de Christophe

GRATIN
COURGETTES FARCIES

Pour 4 à 6 personnes

Taille du plat préconisée :
La recette vaut pour un plat
familial (25 cm de diamètre ou
26 x 18 x 5 cm, par exemple)
ou pour 4 à 6 plats individuels
selon leur taille.

Temps de préparation :
20 à 25 minutes.

Ingrédients :

Pour le plat
20 g de beurre
Pour le gratin
6 petites courgettes rondes
200 g de viande hachée (bœuf)
1 œuf
4 cuillerées à soupe de lait
30 g de chapelure
1 cuillerée à soupe d'huile d'olive.
1 oignon moyen (coupé en lamelles)
3 gousses d'ail (râpées finement)
1 poignée de persil
80 g de gruyère râpé
1 pincée de sel et de poivre

Préchauffez le four à 210 °C (thermostat 7).

1 *Coupez les courgettes (enlevez le chapeau) et creusez l'intérieur avec une cuillère.*
 Placez-les dans un plat à gratin beurré et réservez la pulpe.
2 *Mélangez la viande hachée, ajoutez l'œuf, le lait, la chapelure, puis salez et poivrez.*
3 *Faites poêler dans l'huile d'olive l'oignon, l'ail, le persil haché et la pulpe*
 des courgettes, environ 5 minutes à feu moyen, puis ajoutez le tout à la viande
 hachée. Mélangez l'ensemble.
4 *Remplissez les courgettes de ce mélange et remettez leur chapeau.*
 Parsemez de gruyère râpé.
5 *Faites cuire au four 30 à 40 minutes.*
6 *Servez bien chaud.*

Les gratins de Christophe

GRATIN
CONCOMBRE À LA PANCETTA

Pour 4 à 6 personnes

Taille du plat préconisée :
La recette vaut pour un plat familial (25 cm de diamètre ou 26 x 18 x 5 cm, par exemple) ou pour 4 à 6 plats individuels selon leur taille.

Temps de préparation :
20 à 25 minutes.

Ingrédients :

Pour le plat
20 g de beurre

Pour le gratin
2 concombres
2 pommes de terre moyennes
80 g de gruyère râpé
80 g de parmesan râpé
3 œufs
4 cuillerées à soupe de lait
1 pincée de noix de muscade
40 g de beurre
30 g de chapelure
1 pincée de sel et de poivre
100 g de pancetta

Préchauffez le four à 210 °C (thermostat 7).

1 *Coupez les concombres en dés en enlevant les extrémités, épépinez-les si nécessaire.*
2 *Épluchez les pommes de terre et coupez-les en dés.*
3 *Dans une casserole, faites cuire les concombres ainsi que les pommes de terre dans l'eau salée bouillante pendant 15 minutes. Égouttez-les.*
4 *Dans un plat à gratin beurré, répartissez les légumes, puis mélangez les deux fromages (40 g de gruyère râpé, 40 g de parmesan râpé) et répartissez-les sur les légumes.*
5 *Dans un bol, cassez les œufs, battez-les, ajoutez le lait, le sel, le poivre, la noix de muscade et le reste de fromage (40 g de gruyère râpé, 40 g de parmesan râpé), puis versez sur les légumes.*
6 *Répartissez sur le plat le beurre coupé en dés et parsemez de chapelure. Décorez de tranches de pancetta.*
7 *Faites cuire au four pendant 20 à 25 minutes.*
8 *Servez bien chaud.*

Les gratins de Christophe

CGRATIN
CHOU-FLEUR AU SAINT-MARCELLIN

Pour 4 à 6 personnes

Taille du plat préconisée :
La recette vaut pour un plat
familial (25 cm de diamètre ou
26 x 18 x 5 cm, par exemple)
ou pour 4 à 6 plats individuels
selon leur taille.

Temps de préparation :
20 à 25 minutes.

Ingrédients :

Pour le plat
20 g de beurre
Pour le gratin
1 chou-fleur
2 saint-marcellin
2 oignons
150 g de lardons fumés
30 g de beurre
1 bonne pincée de thym
2 à 3 feuilles de laurier
1 pincée de sel et de poivre

Préchauffez le four à 210 °C (thermostat 7).

1 *Faites poêler à feu moyen les oignons coupés en lamelles avec les lardons environ
10 minutes, salez, poivrez.*
2 *Dans une casserole d'eau salée bouillante, faites cuire le chou-fleur 20 minutes environ à feu vif. Égouttez-le et mettez le beurre dessus. Réservez-le.*
3 *Coupez les saint-marcellin en lamelles et réservez-les.*
4 *Dans un plat à gratin beurré, répartissez le chou-fleur par petits bouquets,
ajoutez le mélange de lardons et d'oignons et disposez le saint-marcellin par-dessus.
Décorez avec le thym et les feuilles de laurier.*
5 *Faites cuire au four 20 minutes environ.*
6 *Servez bien chaud.*

Les gratins de Christophe

GRATIN TAGLIATELLES & CHAMPIGNONS

Pour 4 à 6 personnes

Taille du plat préconisée :
La recette vaut pour un plat
familial (25 cm de diamètre ou
26 x 18 x 5 cm, par exemple)
ou pour 4 à 6 plats individuels
selon leur taille.

Temps de préparation :
20 à 25 minutes.

Ingrédients :

Pour le plat
20 g de beurre

Pour le gratin
400 g de tagliatelles
200 g de champignons de Paris
(ou girolles)
2 cuillerées à soupe d'huile d'arachide
3 cuillerées à soupe d'huile d'olive
1 citron
3 gousses d'ail
1 belle poignée de persil
1 jaune d'œuf
10 cl de crème fraîche
80 g de gruyère râpé
1 pincée de sel et de poivre du moulin

Préchauffez le four en position gril.

1 *Faites cuire les tagliatelles dans l'eau salée bouillante avec un peu d'huile
d'arachide, 10 minutes environ. Égouttez-les.*
2 *Dans une poêle, versez l'huile d'olive, ajoutez les champignons arrosés du jus
de citron, salez, poivrez, puis mettez l'ail et le persil hachés. Poêlez le tout à feu vif,
pendant 5 à 10 minutes, pour dorer légèrement les champignons et mettez de côté.*
3 *Dans un bol, mélangez le jaune d'œuf avec la crème fraîche, salez, poivrez.*
4 *Dans un plat à gratin beurré, versez les pâtes mélangées aux champignons,
et ajoutez la préparation à base d'œuf. Parsemez de gruyère râpé.*
5 *Faites gratiner 4 à 5 minutes.*
6 *Servez bien chaud.*

C GRATIN
OLIN AUX TOMATES

Pour 4 à 6 personnes

Taille du plat préconisée :
La recette vaut pour un plat
familial (25 cm de diamètre ou
26 x 18 x 5 cm, par exemple)
ou pour 4 à 6 plats individuels
selon leur taille.

Temps de préparation :
25 à 30 minutes.

Ingrédients :

Pour le plat
20 g de beurre
Pour le gratin
1 colin de 1,3 kg (vidé et écaillé)
3 belles tomates
1 sachet de court-bouillon
100 g de beurre
2 cuillerées à soupe de farine
50 cl de lait
150 g de gruyère râpé
1 poignée de persil haché
1 pincée de noix de muscade
10 cl de crème fraîche
1 pincée de sel et de poivre

Préchauffez le four à 210 °C (thermostat 7).

1 *Dans une casserole, versez le court-bouillon dans 2 litres d'eau, amenez
   à ébullition, plongez le colin dedans, laissez frémir pendant 15 minutes. Égouttez-le,
   enlevez la peau et retirez les arêtes. Disposez dans un plat à gratin beurré.*
2 *Préparez à part la sauce béchamel avec 80 g de beurre, mélangez-y la farine,
   laissez cuire 2 à 3 minutes puis arrosez avec le lait. Ajoutez la moitié
   du gruyère râpé, le persil, la noix de muscade et la crème, salez, poivrez
   et versez la sauce sur le poisson.*
3 *Lavez et pelez les tomates, coupez-les en rondelles, disposez les tranches
   sur le plat et saupoudrez avec le reste de gruyère et 20 g de beurre coupé en carrés.*
4 *Faites cuire au four 20 minutes.*
5 *Servez bien chaud.*

Les gratins de Christophe

M GRATIN
M ORUE DE «GORETTE»

Pour 4 à 6 personnes

Taille du plat préconisée :
La recette vaut pour un plat
familial (25 cm de diamètre ou
26 x 18 x 5 cm, par exemple)
ou pour 4 à 6 plats individuels
selon leur taille.

Temps de préparation :
30 à 35 minutes.

Ingrédients :

Pour le plat
20 g de beurre
Pour le gratin
4 belles tranches de morue
200 g de toutes petites pommes de terre
(ratte, par exemple)
3 cuillerées à soupe d'huile d'olive
1 poivron rouge
1 poivron vert
2 tomates
3 gousses d'ail
1 oignon
1 poignée de persil
1 petit pot d'olives vertes
1 petit pot d'olives noires
60 g de parmesan râpé
1 pincée de sel et de poivre

Préchauffez le four à 210 °C (thermostat 7).

1 *La veille, rincez plusieurs fois la morue dans l'eau.*
2 *Le lendemain, faites-la cuire dans l'eau bouillante 10 à 15 minutes. Puis enlevez
   la peau et émiettez la morue. Ne la salez pas.*
3 *Dans l'eau de cuisson frémissante de la morue, faites cuire les petites pommes
   de terre épluchées 10 à 15 minutes environ.*
4 *Pendant ce temps, dans une cocotte, faites revenir avec l'huile d'olive les poivrons,
   les tomates pelées, l'ail et le persil hachés, l'oignon coupé et les olives. Salez très
   légèrement. Laissez confire 15 à 20 minutes à feu moyen.*
5 *Ajoutez le mélange morue-pommes de terre. Laissez mijoter 10 minutes environ.*
6 *Beurrez un plat à gratin, versez le mélange dedans puis parsemez de parmesan râpé.*
7 *Faites cuire au four pendant 20 à 30 minutes et servez bien chaud.*

Les gratins de Christophe

C GRATIN
COURGETTES À LA PROVENÇALE

Pour 4 à 6 personnes

Taille du plat préconisée :
La recette vaut pour un plat
familial (25 cm de diamètre ou
26 x 18 x 5 cm, par exemple)
ou pour 4 à 6 plats individuels
selon leur taille.

Temps de préparation :
20 à 25 minutes.

Ingrédients :

Pour le plat
20 g de beurre
Pour le gratin
1 kg de courgettes
500 g de tomates
3 gousses d'ail
1 belle poignée de persil haché
2 oignons moyens
80 g d'anchois
2 œufs
4 cuillerées à soupe de crème fraîche
15 cl de lait
2 branches de basilic frais
60 g de parmesan râpé ou en copeaux
1 pincée de sel et de poivre du moulin

Préchauffez le four à 210 °C (thermostat 7).

1 *Faites blanchir les courgettes (coupées en lamelles) 10 minutes environ*
dans l'eau frémissante.

2 *Dans une poêle, faites revenir les tomates préalablement pelées, en les plongeant*
dans de l'eau bouillante pour faciliter l'opération, ajoutez l'ail, le persil et
les oignons et laissez cuire à feu moyen environ 15 minutes. Une fois ce mélange
un peu confit, ajoutez les anchois.

3 *Mélangez 2 œufs, la crème fraîche et le lait, salez, poivrez.*

4 *Dans un plat à gratin beurré, mettez les courgettes et le mélange de tomates, versez*
dessus la préparation aux œufs, ajoutez le basilic haché et parsemez de parmesan.

5 *Faites cuire au four 20 à 30 minutes environ.*

6 *Servez bien chaud.*

Les gratins de Christophe

BGRATIN
BATAVIA & OIGNONS BLANCS

Pour 4 à 6 personnes

Taille du plat préconisée :
La recette vaut pour un plat
familial (25 cm de diamètre ou
26 x 18 x 5 cm, par exemple)
ou pour 4 à 6 plats individuels
selon leur taille.

Temps de préparation :
15 à 20 minutes.

Ingrédients :

Pour le plat
20 g de beurre
Pour le gratin
1 kg de batavias fraîches
80 g de beurre
10 petits oignons blancs nouveaux
2 cuillerées à soupe de sucre semoule
1 poignée de persil haché
100 g de pommes de terre (ratte)
150 g de lardons
1 pincée de sel et de poivre en grains
1/2 bouillon cube (facultatif)

Préchauffez le four à 210 °C (thermostat 7).

1 *Faites blanchir les batavias préalablement lavées et les feuilles défaites pendant
5 minutes dans beaucoup d'eau salée bouillante.*

2 *Faites fondre la moitié du beurre dans une poêle et faites dorer légèrement
les petits oignons épluchés avec 2 cuillerées à soupe de sucre semoule,
remuez jusqu'à ce qu'ils aient pris de la couleur.*

3 *Faites fondre le reste du beurre et poêlez les pommes de terre, préalablement grat-
tées, avec les lardons pendant 10 minutes. Ajoutez les feuilles de batavias.*

4 *Préparez un plat à gratin beurré, disposez les feuilles de batavias légèrement refroi-
dies en forme de roulades. Poivrez et dressez au centre les oignons caramélisés.
Ajoutez les pommes de terre et les lardons.*

5 *Dans le plat, ajoutez le persil haché. Versez un verre d'eau ou de bouillon, couvrez
et laissez mijoter à petit feu 30 minutes.*

6 *En fin de cuisson, ôtez le couvercle et laissez évaporer le jus.*

7 *Faites cuire au four 30 minutes.*

8 *Servez bien chaud.*

Les gratins de Christophe

GRATIN
TOMATES FARCIES

Pour 4 à 6 personnes

Taille du plat préconisée :
La recette vaut pour un plat familial (25 cm de diamètre ou 26 x 18 x 5 cm, par exemple) ou pour 4 à 6 plats individuels selon leur taille.

Temps de préparation :
30 à 35 minutes.

Ingrédients :

Pour le plat
20 g de beurre

Pour le gratin
6 belles tomates
300 g de viande hachée (bœuf)
1 œuf
4 cuillerées à soupe de lait
1 poignée de persil
3 gousses d'ail
1 oignon moyen (coupé finement)
1 poignée de basilic frais
30 g de chapelure
3 cuillerées à soupe d'huile d'olive
80 g de parmesan
20 g de beurre
1 pincée de sel et de poivre en grains

Préchauffez le four à 210 °C (thermostat 7).

1 *Coupez le dessus des tomates, creusez-les à l'intérieur et placez-les dans un plat à gratin beurré.*
2 *Mélangez la viande hachée avec l'œuf, le lait, puis salez et poivrez, et ajoutez le persil et l'ail hachés ainsi que l'oignon et une pincée de basilic frais, puis la chapelure. Mélangez le tout et emplissez les tomates de ce mélange. Remettez ensuite leur chapeau.*
3 *Tout autour du plat, versez la pulpe des tomates avec de l'huile d'olive et parsemez avec le reste de basilic. Salez, poivrez.*
4 *Pour finir, parsemez le plat de parmesan râpé.*
5 *Faites cuire au four 30 à 40 minutes.*
6 *Servez bien chaud.*

Les gratins de Christophe

C GRATIN
CÉLERI-RAVE AU THYM

Pour 4 à 6 personnes

Taille du plat préconisée :
La recette vaut pour un plat
familial (25 cm de diamètre ou
26 x 18 x 5 cm, par exemple)
ou pour 4 à 6 plats individuels
selon leur taille.

Temps de préparation :
20 à 25 minutes.

Ingrédients :

Pour le plat
20 g de beurre
Pour le gratin
1 gros céleri-rave ou 2 petits
le jus de 1 citron
80 g de beurre
3 cuillerées à soupe de farine
50 cl de lait
20 cl de crème fraîche
1 branche de thym
80 g de gruyère râpé
1 pincée de sel et de poivre du moulin

Préchauffez le four à 240 °C (thermostat 8).

1 *Épluchez et citronnez le céleri-rave, coupez-le en rondelles de 2 cm d'épaisseur
   puis taillez-le en bâtonnets.*
2 *Dans une casserole, faites cuire le céleri 10 minutes dans l'eau bouillante salée.*
3 *Pendant ce temps, pour la béchamel, faites fondre 80 g de beurre dans une casserole,
   ajoutez la farine, mélangez au fouet et laissez cuire 1 minute. Arrosez ensuite
   de lait froid et mélangez toujours au fouet, salez, poivrez, puis ajoutez la crème.*
4 *Égouttez le céleri, mettez-le dans un plat à gratin beurré, puis versez
   la béchamel dessus.*
5 *Ajoutez la branche de thym, puis saupoudrez de gruyère râpé.*
6 *Faites cuire au four 15 minutes.*
7 *Servez bien chaud.*

Les gratins de Christophe

GRATIN PARMENTIER

Pour 4 à 6 personnes

Taille du plat préconisée :
La recette vaut pour un plat familial (25 cm de diamètre ou 26 x 18 x 5 cm, par exemple) ou pour 4 à 6 plats individuels selon leur taille.

Temps de préparation :
30 à 35 minutes.

Ingrédients :

Pour le plat
20 g de beurre

Pour le gratin
1,5 kg de pommes de terre à purée
400 g de viande hachée
25 cl de lait (2 verres)
30 g de beurre
1 œuf
3 gousses d'ail
1 poignée de persil
2 échalotes hachées
30 g de chapelure
3 cuillerées à soupe d'huile d'olive
80 g de gruyère râpé
1 pincée de sel et de poivre

Préchauffez le four à 210 °C (thermostat 7).

1 *Faites cuire les pommes de terre épluchées dans l'eau salée bouillante, à feu vif, pendant 20 à 25 minutes environ. Passez-les au presse-purée, ajoutez un verre de lait chaud et le beurre pour lier le tout, salez, poivrez, puis réservez.*

2 *Dans un saladier, mettez la viande hachée, ajoutez l'œuf, l'ail pilé, le persil et l'échalote hachés, versez l'autre verre de lait, salez, poivrez et ajoutez la chapelure.*

3 *Malaxez le tout et faites-le revenir dans une poêle avec l'huile d'olive, à feu moyen pendant 10 minutes.*

4 *Préparez un plat à gratin beurré, mettez la viande hachée, puis recouvrez de purée et parsemez de gruyère râpé et de quelques carrés de beurre.*

5 *Faites cuire au four 30 minutes.*

6 *Servez bien chaud.*

Les gratins de Christophe

Gratin Huîtres au champagne

Pour 2 personnes

Plat préconisé :
2 plats individuels.

Temps de préparation :
15 à 20 minutes.

Ingrédients :

Pour le plat
20 g de beurre

Pour le gratin
6 huîtres
4 cuillerées à soupe de champagne
3 œufs
4 cuillerées à soupe de crème fraîche
80 g de gruyère râpé

Préchauffez le four en position gril.

1 *Ouvrez les huîtres, retirez-les de leur coquille et passez le jus à la passette.*
2 *Mettez le champagne ainsi que le jus des huîtres dans une poêle puis ajoutez les huîtres.*
3 *Dès l'ébullition, retirez les huîtres et remettez-les dans leur coquille.*
4 *Faites réduire ce jus de moitié, puis incorporez les œufs et la crème préalablement mélangés.*
5 *Battez le tout jusqu'à obtenir un mélange mousseux et épais.*
6 *Disposez ce mélange sur les huîtres et parsemez de gruyère râpé.*
7 *Faites cuire sous le gril 3 à 4 minutes.*
8 *Servez bien chaud.*

C GRATIN
CHOUX VERTS

Pour 4 à 6 personnes

Taille du plat préconisée :
La recette vaut pour un plat
familial (25 cm de diamètre ou
26 x 18 x 5 cm, par exemple)
ou pour 4 à 6 plats individuels
selon leur taille.

Temps de préparation :
20 à 25 minutes.

Ingrédients :

Pour le plat
20 g de beurre
Pour le gratin
2 choux verts
3 cuillerées à soupe d'huile d'olive
3 tomates
1 oignon
3 gousses d'ail
1 poignée de persil haché
60 g de parmesan râpé ou en copeaux
1 pincée de sel et de poivre

Préchauffez le four à 210 °C (thermostat 7).

1 *Coupez les choux en lamelles. Faites-les blanchir à l'eau salée bouillante
   4 à 5 minutes. Égouttez et réservez-les.*
2 *Dans une grande poêle, mettez de l'huile d'olive, ajoutez les tomates
   préalablement pelées, en les plongeant dans de l'eau bouillante pour faciliter
   l'opération, coupées en quartiers, l'oignon coupé en lamelles, l'ail et le persil hachés,
   puis les choux. Salez, poivrez et laissez cuire à feu vif pendant 10 minutes.*
3 *Beurrez un plat à gratin, versez le mélange, puis parsemez de parmesan.*
4 *Faites cuire au four 15 à 20 minutes.*
4 *Servez bien chaud.*

Les gratins de Christophe

PETITS POIS
GRATIN
AUX POINTES D'ASPERGE

Pour 4 à 6 personnes

Taille du plat préconisée :
La recette vaut pour un plat
familial (25 cm de diamètre ou
26 x 18 x 5 cm, par exemple)
ou pour 4 à 6 plats individuels
selon leur taille.

Temps de préparation :
20 à 25 minutes.

Ingrédients :

Pour le plat
20 g de beurre
Pour le gratin
500 g de petits pois
250 g d'asperges
(vertes de préférence)
60 g de beurre
20 g de farine
25 cl de lait
1 pincée de noix de muscade
80 g de gruyère râpé
1 pincée de sel et de poivre

Préchauffez le four en position gril.

1 *Faites cuire les petits pois et les asperges séparément, dans l'eau frémissante salée,
10 minutes, ou égouttez des légumes en boîtes (si ce n'est pas la saison).*
2 *Pour la béchamel, dans une casserole faites fondre le beurre, ajoutez la farine,
remuez au fouet puis versez le lait froid, salez, poivrez et râpez de la noix
de muscade.*
3 *Une fois les légumes cuits, mettez les petits pois au centre du plat à gratin beurré
(de préférence rond) et rangez les pointes d'asperge tout autour, versez la béchamel
et saupoudrez de gruyère râpé et de noix de muscade râpée.*
4 *Faites gratiner au four 4 à 5 minutes.*
5 *Servez bien chaud.*

Les gratins de Christophe

F GRATIN
IGUES AU FENOUIL

Pour 4 à 6 personnes

Taille du plat préconisée :
La recette vaut pour un plat
familial (25 cm de diamètre ou
26 x 18 x 5 cm, par exemple)
ou pour 4 à 6 plats individuels
selon leur taille.

Temps de préparation :
25 à 30 minutes.

Ingrédients :

Pour le plat
20 g de beurre
Pour le gratin
10 grosses figues violettes
4 petits fenouils
40 cl d'alcool
(banyuls ou autre vin doux)
3 feuilles de laurier
1 pincée de thym
1 clou de girofle
3 cuillerées à soupe d'huile d'olive
200 g de parmesan
1 pincée de sel et de poivre du moulin

Préchauffez le four à 180 °C (thermostat 6).

1 *Faites mariner les figues dans le vin, piquez-les avec une fourchette. Ajoutez le laurier, le thym, le clou de girofle, poivrez et laissez reposer 3 à 4 heures à température ambiante.*

2 *Retirez les figues et faites-les cuire dans une casserole avec la marinade 35 minutes à petit feu.*

3 *Lavez les bulbes de fenouil et coupez-les en quartiers puis faites-les revenir dans une poêle avec de l'huile d'olive pendant 10 minutes environ à feu moyen. Salez légèrement et poivrez à la fin.*

4 *Beurrez un plat à gratin, rangez les figues, puis ajoutez les quartiers de fenouil et versez 10 cl de la marinade. Faites cuire 20 minutes au four.*

5 *Coupez de fines lamelles de parmesan et parsemez le plat.*

6 *Poursuivez la cuisson 20 minutes.*

7 *Servez bien chaud.*

Les gratins de Christophe

GRATIN
POTIRON AU CHORIZO

Pour 4 à 6 personnes

Taille du plat préconisée :
La recette vaut pour un plat
familial (25 cm de diamètre ou
26 x 18 x 5 cm, par exemple)
ou pour 4 à 6 plats individuels
selon leur taille.

Temps de préparation :
25 à 30 minutes.

Ingrédients :

Pour le plat
20 g de beurre
Pour le gratin
1 potiron bien mûr
10 tranches de chorizo
1 gousse d'ail
3 oignons
30 g de beurre
100 g de gruyère râpé
3 cuillerées à soupe d'huile d'olive
1 pincée de sel et de poivre

Préchauffez le four à 210 °C (thermostat 7).

1 *Pelez et épépinez le potiron, retirez les filaments. Coupez-le en petits morceaux
   et cuisez-le pendant 10 minutes dans l'eau salée à feu vif, salez, poivrez.*
2 *Beurrez un plat à gratin et frottez-le avec l'ail.*
3 *Disposez une couche de potiron égoutté, une couche d'oignons coupés et des tranches
   de chorizo jusqu'à épuisement des éléments, salez, poivrez. Mettez le beurre coupé
   en petits carrés et parsemez de gruyère râpé. Ajoutez un filet d'huile d'olive.*
4 *Faites cuire au four 20 à 30 minutes.*
5 *Servez bien chaud.*

Les gratins de Christophe

A GRATIN
AUBERGINES AU PARMESAN

Pour 4 à 6 personnes

Taille du plat préconisée :
La recette vaut pour un plat
familial (25 cm de diamètre ou
26 x 18 x 5 cm, par exemple)
ou pour 4 à 6 plats individuels
selon leur taille.

Temps de préparation :
25 à 30 minutes.

Ingrédients :

Pour le plat
20 g de beurre
Pour le gratin
3 aubergines
5 cuillerées à soupe d'huile d'olive
150 g de parmesan râpé
1 pincée de sel et de poivre en grains

Préchauffez le four à 210 °C (thermostat 7).

1 *Coupez les aubergines en tronçons de 4 cm environ. Passez-les à la poêle
   avec de l'huile d'olive, salez, poivrez. Faites-les bien confire 10 à 15 minutes
   à feu moyen.*
2 *Dans un plat à gratin beurré, disposez les aubergines, puis parsemez
   de parmesan râpé.*
3 *Faites cuire au four 20 à 30 minutes.*
4 *Servez bien chaud.*

Les gratins de Christophe

B GRATIN
LETTES AU ROQUEFORT

Pour 4 à 6 personnes

Taille du plat préconisée :
La recette vaut pour un plat
familial (25 cm de diamètre ou
26 x 18 x 5 cm, par exemple)
ou pour 4 à 6 plats individuels
selon leur taille.

Temps de préparation :
20 à 25 minutes.

Ingrédients :

Pour le plat
20 g de beurre
Pour le gratin
1 kg de blettes
250 g de roquefort
6 ou 7 brins de ciboulette ciselés
2 œufs
4 cuillerées à soupe de crème fraîche
2 cuillerées à soupe d'huile d'olive
20 g de beurre
(à découper en petits carrés)
1 pincée de sel et de poivre du moulin

Préchauffez le four à 210 °C (thermostat 7).

1   *Faites blanchir les blettes pendant 10 minutes dans l'eau frémissante.*
2   *Égouttez-les et passez-les à la poêle avec un peu d'huile d'olive. Salez et poivrez.*
3   *Préparez un plat à gratin beurré, placez-y les blettes.*
4   *Cassez les œufs et mélangez-les à la crème fraîche, salez, poivrez.*
5   *Versez cette préparation sur les blettes. Écrasez le roquefort et parsemez-en le plat.*
    Ajoutez la ciboulette, puis quelques carrés de beurre.
6   *Faites cuire au four 20 minutes environ.*
7   *Servez bien chaud.*

Les gratins de Christophe

INDEX DES FRUITS UTILISÉS DANS LES RECETTES SUCRÉES

Abricot
Gratin abricot, biscuits cuillère, au Cointreau 10
Gratin pommes, abricots au thym et crémeux chocolat 20
Gratin frangipane, abricots et cacahuètes 22
Gratin vin de Banyuls, noix et abricots poêlés 28
Gratin fleur d'oranger, noisettes, pêches blanches et abricots ... 58

Amande
Gratin frangipane et raisins à la cannelle 16
Gratin frangipane, abricots et cacahuètes 22
Gratin granny smith à l'amande, granité de cidre et raisins secs .. 23
Gratin pêches blanches, groseilles, sorbet au lait d'amandes 50
Gratin frangipane à la pêche jaune, coulis de fraise et romarin .. 52
Gratin figues à la cannelle et amandes fraîches 65

Ananas
Gratin papayes, ananas et citron au poivre 30
Gratin ananas à la piña colada 39
Gratin fruits exotiques parfumé au Malibu 62
Gratin ananas au kirsch, cerises rouges et jaunes à la menthe ... 69

Banane
Gratin bananes, mangues et griottes 44
Gratin oranges et bananes aux noix de pécan 74
Gratin bananes, fraises et rhubarbe 82

Cacahuète
Gratin frangipane, abricots et cacahuètes 22

Cassis
Gratin poires et pêches à la crème de cassis 49

Cerise
Gratin lambic kriek et cerises noires 14
Gratin ananas au kirsch, cerises rouges et jaunes à la menthe ... 69

Citron
Gratin granny smith à l'amande, granité de cidre et raisins secs .. 23
Gratin thé earl grey, pruneaux et fruits secs 27
Gratin papayes, ananas, citron au poivre 30
Gratin rhubarbe, citron et vanille 31
Gratin bananes, mangues et griottes 44
Gratin poires et pêches à la crème de cassis 49
Gratin en rouge et noir 57
Gratin soufflé de poires williams, chocolat et safran 61
Gratin fraises des bois, huile d'olive et citron 71
Gratin citron vert et fraises des bois 76
Gratin bananes, fraises et rhubarbe 82

Coco
Gratin ananas à la piña colada 39
Gratin poires, pamplemousses, pistaches et coco 60

Figue
Gratin figues à la cannelle et amandes fraîches 65

Fraise
Gratin minute au champagne rosé 36
Gratin frangipane à la pêche jaune, coulis de fraise et romarin .. 52
Gratin fromage blanc aux fruits rouges et noirs 53
Gratin fraises des bois, huile d'olive et citron 71
Gratin citron vert et fraises des bois 76
Gratin fruits d'été et sirop d'orgeat 80
Gratin bananes, fraises et rhubarbe 82

Framboise
Gratin feuilleté passion et framboises 11
Gratin minute au champagne rosé 36
Gratin fromage blanc aux fruits rouges et noirs 53
Gratin en rouge et noir 57
Gratin figues à la cannelle et amandes fraîches 65
Gratin cola aux framboises 70

Griotte
Gratin bananes, mangues et griottes 44
Gratin griottes, poires et pistaches 45

Groseille
Gratin vin de Banyuls, noix et abricots poêlés 28
Gratin minute au champagne rosé 36
Gratin pêches blanches, groseilles, sorbet au lait d'amandes 50
Gratin fromage blanc aux fruits rouges et noirs 53
Gratin fruits d'été et sirop d'orgeat 80

Les gratins de Christophe

Kiwi   Gratin fruits exotiques parfumé au Malibu 62

Litchi   Gratin soufflé à l'orange, chocolat noir, Cointreau et litchis 42

Mandarine   Gratin mandarines et miel au champagne 38

Mangue   Gratin bananes, mangues et griottes 44
Gratin fruits exotiques parfumé au Malibu 62

Marron   Gratin crème de marron, poires conférence 17

Mirabelle   Gratin semoule aux mirabelles 34
Gratin chocolat et mirabelles au thym frais 64

Mûre   Gratin minute au champagne rosé 36
Gratin fromage blanc aux fruits rouges et noirs 53
Gratin en rouge et noir 57
Gratin fruits d'été et sirop d'orgeat 80

Myrtille   Gratin fromage blanc aux fruits rouges et noirs 53

Noisette   Gratin thé earl grey, pruneaux et fruits secs 27
Gratin fleur d'oranger, noisettes, pêches blanches et abricots 58

Noix   Gratin thé earl grey, pruneaux et fruits secs 27
Gratin vin de Banyuls, noix et abricots poêlés 28
Gratin oranges et bananes aux noix de pécan 74

Orange   Gratin thé earl grey, pruneaux et fruits secs 27
Gratin semoule aux mirabelles 34
Gratin soufflé à l'orange, chocolat noir, Cointreau et litchis 42
Gratin poires et pêches à la crème de cassis 49
Gratin oranges et bananes aux noix de pécan 74
Gratin agrumes au miel et brisures de meringue 77

Pamplemousse   Gratin poires, pamplemousses, pistaches et coco 60
Gratin fruits exotiques parfumé au Malibu 62
Gratin agrumes au miel et brisures de meringue 77

Papaye   Gratin papayes, ananas, citron au poivre 30
Gratin fruits exotiques parfumé au Malibu 62

Passion   Gratin feuilleté passion et framboises 11

Pêche   Gratin poires et pêches à la crème de cassis 49
Gratin pêches blanches, groseilles, sorbet au lait d'amandes 50
Gratin frangipane à la pêche jaune, coulis de fraise et romarin ... 52
Gratin fleur d'oranger, noisettes, pêches blanches et abricots 58

Pistache   Gratin thé earl grey, pruneaux et fruits secs 27
Gratin vin de Banyuls, noix et abricots poêlés 28
Gratin griottes, poires et pistaches 45
Gratin poires, pamplemousses, pistaches et coco 60

Poire   Gratin crème de marron, poires conférence 17
Gratin griottes, poires et pistaches 45
Gratin poires et pêches à la crème de cassis 49
Gratin poires, pamplemousses, pistaches et coco 60
Gratin soufflé de poires williams, chocolat et safran 61

Pomme   Gratin pommes, abricots au thym et crémeux chocolat 20
Gratin granny smith à l'amande, granité de cidre et raisins secs .. 23
Gratin bergamote et chocolat 35

Pruneau   Gratin thé earl grey, pruneaux et fruits secs 27
Gratin griottes, poires et pistaches 45

Raisin   Gratin frangipane et raisins à la cannelle 16
Gratin ananas à la piña colada 39

Rhubarbe   Gratin rhubarbe, citron et vanille 31
Gratin bananes, fraises et rhubarbe 82

Les gratins de Christophe

INDEX DES PRODUITS UTILISÉS DANS LES RECETTES SALÉES

Anchois — Gratin courgettes à la provençale 134

Artichaut — Gratin légumes du jardin 101
Gratin cœurs d'artichaut et lardons 105

Asperge — Gratin petits pois aux pointes d'asperge 146

Aubergine — Gratin ratatouille au laurier 94
Gratin légumes du jardin 101
Gratin aubergines au parmesan 150

Bacon — Gratin purée de carottes au bacon 108

Batavia — Gratin batavia et oignons blancs 136

Blette — Gratin blettes au roquefort 153

Brocoli — Gratin brocolis 116

Camembert — Gratin camembert 86

Carotte — Gratin légumes du jardin 101
Gratin purée de carottes au bacon 108

Céleri-rave — Gratin céleri-rave au thym 138

Champagne — Gratin huîtres au champagne 142

Champignon — Gratin coquilles Saint-Jacques 122
Gratin tagliatelles et champignons 128

Chèvre — Gratin fenouil au chèvre 117

Chorizo — Gratin potiron au chorizo 149

Chou-fleur — Gratin chou-fleur au saint-marcellin 127

Chou vert — Gratin choux verts 143

Colin — Gratin colin aux tomates 130

Concombre — Gratin concombre à la pancetta 125

Coquille Saint-Jacques — Gratin Saint-Jacques 113
Gratin fruits de mer au safran 120
Gratin coquilles Saint-Jacques 122

Courgette — Gratin ratatouille au laurier 94
Gratin légumes du jardin 101
Gratin courgettes farcies 124
Gratin courgettes à la provençale 134

Crevette — Gratin fruits de mer au safran 120
Gratin coquilles Saint-Jacques 122

Endive — Gratin endives au miel et jambon de Bayonne 96

Epinard — Gratin épinards à la raclette 87

Escargot — Gratin escargots 100

Fenouil — Gratin fenouil au chèvre 117
Gratin figues au fenouil 148

Figue — Gratin figues aux fenouil 148

Foie de volaille — Gratin salsifis aux foies de volailles 95

Haricot vert — Gratin légumes du jardin 101

Huître — Gratin huîtres au champagne 142

Jambon de Bayonne — Gratin endives au miel et jambon de Bayonne 96

Langoustine — Gratin fruits de mer au safran 120

Lardons — Gratin pommes de terre au munster 92
Gratin cœurs d'artichaut et lardons 105
Gratin chou-fleur au saint-marcellin 127

Les gratins de Christophe

Morue	Gratin morue de « Gorette »	131
Moule	Gratin de fruits de mer au safran	120
	Gratin coquilles Saint-Jacques	122
Munster	Gratin pommes de terre au munster	92
Navet	Gratin légumes du jardin	101
Œuf	Gratin coquillettes aux œufs	104
Oignon	Gratin batavia et oignons blancs	136
Moelle	Gratin quenelles de moelle	114
Pancetta	Gratin concombre à la pancetta	125
Parmesan	Gratin aubergines au parmesan	150
Pâtes	Gratin macaronis au thon	98
	Gratin coquillettes aux œufs	104
	Gratin tagliatelles et champignons	128
Petits pois	Gratin petits pois aux pointes d'asperge	146
Poireau	Gratin poireaux au basilic	90
	Gratin légumes du jardin	101
Poivron	Gratin ratatouille au laurier	94
	Gratin morue de « Gorette »	131
Pomme de terre	Gratin pommes de terre au munster	92
	Gratin dauphinois	106
	Gratin deux saumons	109
	Gratin concombre à la pancetta	125
	Gratin morue de « Gorette »	131
	Gratin parmentier	141
Potiron	Gratin potiron au chorizo	149
Raclette	Gratin épinards à la raclette	87
Roquefort	Gratin blettes au roquefort	153
Saint-marcellin	Gratin chou-fleur au saint-marcellin	127
Salsifis	Gratin salsifis aux foies de volaille	95
Saumon	Gratin deux saumons	109
Thon	Gratin macaronis au thon	98
Tomate	Gratin poireaux au basilic	90
	Gratin ratatouille au laurier	94
	Gratin légumes du jardin	101
	Gratin coquillettes aux œufs	104
	Gratin colin aux tomates	130
	Gratin morue de « Gorette »	131
	Gratin courgettes à la provençale	134
	Gratin tomates farcies	137
	Gratin choux verts	143
Viande	Gratin courgettes farcies	124
	Gratin tomates farcies	137
	Gratin parmentier	141

N.B : Les températures de four et les temps de cuisson préconisés sont étalonnés selon les fours de cuisiniers professionnels, mais parfois, à la maison, les fours chauffent moins que la température indiquée au thermostat. Apprenez à connaître votre four : peut-être vous faut-il le régler un peu plus fort que ce que nous indiquons, ou allonger le temps de cuisson.

Les gratins de Christophe

Remerciements

Alexandre Turpault, Baccarat, Christophe Pichon, Du Bout du Monde, Déco du Monde, Garnier Thiebaut, Geneviève Lethu, Gien, Guy Degrenne, Le Jacquard français, Kitchen Bazaar, La Carpe, Lagostina, Leitner, Le Grand Comptoir, Le Jardin Saint-Honoré, Olaria, Noritaké pour R. Haviland et C. Parlon.

Lisbeth Kwik

Les gratins de Christophe